D1368451

Le Club des Cinq
et le trésor de l'île

Enid Blyton™

Le Club des Cinq
et le trésor de l'île

Illustrations
Frédéric Rébéna

hachette
JEUNESSE

Claude

11 ans.
Leur cousine. Avec son fidèle chien
Dagobert, elle est de toutes
les aventures.
En vrai garçon manqué,
elle est imbattable dans tous
les sports et elle ne pleure
jamais… ou presque !

François

12 ans
L'aîné des enfants,
le plus raisonnable aussi.
Grâce à son redoutable sens
de l'orientation, il peut explorer
n'importe quel souterrain sans jamais se perdre !

Mick

11 ans comme Claude.
C'est un casse-cou (un gourmand aussi !)
qui n'hésite jamais avant de se lancer
dans les plus périlleuses aventures...

Annie

10 ans
La plus jeune, un peu gaffeuse,
un peu froussarde !
Mais elle finit toujours par
participer aux enquêtes,
même quand il faut affronter
de dangereux malfaiteurs...

Dagobert

Sans lui, le Club des Cinq ne serait rien !
C'est un compagnon hors pair, qui peut monter
la garde et effrayer les bandits.
Mais surtout c'est le plus attachant des chiens...

L'ÉDITION ORIGINALE DE CET OUVRAGE
A PARU EN LANGUE ANGLAISE
CHEZ HODDER & STOUGHTON, LONDRES,
SOUS LE TITRE :

FIVE ON TREASURE ISLAND

© Enid Blyton Ltd.

© Hachette Livre, 1962, 1971, 1990, 1992, 2000, 2006
pour la présente édition.

Traduction revue par Anne-Laure Estèves

Tous droits de traduction, de reproduction
et d'adaptation réservés pour tous pays.

Hachette Livre, 43, quai de Grenelle, 75015 Paris.

chapitre 1

En route pour Kernach

— Maman, demande François un matin alors que toute la famille est réunie autour de la table du petit déjeuner, tu as décidé ce que nous allons faire pour les grandes vacances, cette année ? Nous retournons dans les Alpes comme l'été dernier ?

— Non, répond Mme Gauthier. Je pense que cela ne sera pas possible. Tout est déjà complet.

François, Mick et Annie échangent par-dessus leurs bols des regards consternés.

— Allez, dit M. Gauthier, ne faites pas cette tête. De toute façon, maman et moi, nous ne pourrons pas partir avec vous cette année. Maman ne vous a pas prévenus ?

— Non ! s'écrie Annie. Vous êtes sûrs que

vous ne pouvez pas partir avec nous ? C'est la première fois que ça arrive...

— Je sais, l'interrompt Mme Gauthier, mais cette année, papa voudrait que je l'accompagne pour un voyage d'affaires. Alors, nous nous sommes dit que cela vous amuserait de passer vos vacances sans nous pour une fois. Mais, je ne sais pas du tout où nous allons vous envoyer...

— Pourquoi pas chez les Dorsel ? propose soudain M. Gauthier.

Henri Dorsel est le frère de Mme Gauthier, et donc l'oncle des trois enfants. François, Mick et Annie ne l'ont vu qu'une seule fois, et il les a beaucoup intimidés. C'est un homme très grand, au front sévère, un scientifique très érudit qui passe tout son temps plongé dans ses recherches. Il habite au bord de la mer... et c'est à peu près tout ce que ses neveux savent de lui.

— Chez Henri ! s'exclame Mme Gauthier, assez étonnée. Qu'est-ce qui t'a fait penser à lui ? Mon frère n'est pas du genre à supporter qu'une bande d'enfants vienne mettre du désordre chez lui.

— En fait, l'autre jour, j'ai croisé la femme d'Henri à Paris. Elle m'a confié qu'elle se sentait un peu seule à Kernach. Son mari est toujours plongé dans ses livres et elle se demandait si elle n'allait pas prendre un ou deux pensionnaires pour l'été, histoire de s'occuper un peu. La maison des Dorsel est au bord de la mer et ce serait un endroit idéal pour les enfants. Tante Cécile est très gentille. Elle prendra bien soin d'eux, j'en suis sûr.

— Oui... et elle a une fille avec qui les enfants pourraient jouer. Comment s'appelle-t-elle déjà... ? Ah, oui, Claudine. Je crois qu'elle a onze ans.

— Comme moi ! s'écrie Mick. Et dire que nous avons une cousine que nous n'avons jamais vue ! J'espère qu'elle sera contente de nous voir...

— Justement, coupe M. Gauthier. Cécile pense que cela ferait beaucoup de bien à Claudine de fréquenter des enfants de son âge. Je crois vraiment qu'il suffit de téléphoner à votre tante pour que le problème des vacances d'été soit réglé !

Les trois enfants sont enchantés.

— À quoi ressemble la plage ? Du sable ou des galets ? Est-ce que l'endroit est joli ? Est-ce qu'il y a des falaises, des rochers ? demande Annie.

— Je ne m'en souviens plus très bien, répond son père, mais je suis certain que cela vous plaira. C'est une baie, la baie de Kernach. Votre tante y a vécu toute sa vie et elle ne la quitterait pour rien au monde. Je vais l'appeler tout de suite.

Les enfants, qui ont terminé leur déjeuner, se lèvent de table et suivent leur père dans l'entrée, où se trouve le téléphone.

— J'espère que ça va marcher ! dit François. Je me demande à quoi peut ressembler cette Claudine. Elle porte un drôle de prénom, non ? Elle a un an de moins que moi, le même âge que toi, Mick, et un an de plus que toi, Annie. Nous sommes faits pour nous entendre !

Dix minutes plus tard, M. Gauthier revient avec un large sourire.

— Tout est arrangé ! annonce-t-il. Votre tante Cécile est ravie de vous recevoir. Elle pense que votre présence fera beaucoup de bien à Claudine. Apparemment, elle est un peu trop solitaire. Mais, il faudra faire attention à ne pas déranger l'oncle Henri !

— Nous ne ferons pas de bruit, déclare Mick. C'est promis, papa. Quand est-ce que nous partons ?

— En début de semaine prochaine, si maman a le temps de préparer vos affaires d'ici là.

Mme Gauthier acquiesce.

— Ce sera vite fait. Qu'est-ce qu'il leur faut ? Juste quelques maillots de bain, des tee-shirts, des pulls, des shorts et un jean...

— Papa, demande François, comment irons-nous là-bas ? Par le train ou en voiture ?

— En voiture ! Eh bien, nous pourrions partir... disons mardi.

— Parfait ! répond Mme Gauthier.

Jamais un mardi n'a été attendu avec plus d'impatience. Les enfants comptent les jours en soupirant et, chaque soir avant de se coucher, Annie coche soigneusement la journée écoulée sur son calendrier. Enfin, le mardi arrive ! Mick et François, qui partagent la même chambre, se réveillent en même temps et se précipitent à la fenêtre.

— Super ! il fait un temps magnifique ! s'écrie François. Allons vite réveiller Annie.

Annie dort dans la pièce voisine. François y entre en coup de vent.

— Debout ! C'est mardi et le soleil brille !

— Enfin ! s'exclame-t-elle toute joyeuse. Oh, j'ai hâte d'arriver à Kernach !

Le départ a lieu tout de suite après le petit déjeuner. La voiture est spacieuse et chacun peut s'y installer confortablement.

Très vite, la voiture roule en pleine campagne. Les enfants se mettent à chanter à tue-tête, comme ils le font toujours quand ils sont joyeux.

La famille s'arrête pique-niquer en haut d'une colline. Annie n'apprécie pas vraiment la grosse vache brune qui s'approche d'elle pour la dévisager. L'animal s'en va sans insister quand papa agite sa serviette dans sa direction. Les enfants mangent comme quatre et englou-tissent tous les casse-croûte, y compris ceux du goûter.

— À quelle heure est-ce que nous arriverons à Kernach ? demande François.

— Vers six heures, si tout va bien, répond son père.

Bientôt, les kilomètres défilent de nouveau. L'heure du goûter arrive. Plus le but du voyage approche, plus les enfants s'impatientent.

— Nous allons bientôt voir la mer ! s'écrie Mick. Je sens déjà son odeur.

Il a raison. L'air du grand large apporte jus-qu'à leurs narines les senteurs iodées du grand large. La voiture s'arrête au sommet d'une petite montée... et, soudain, la mer est devant eux, d'un bleu lisse et étincelant sous le soleil couchant. Les trois enfants poussent un cri de joie.

— La voici enfin !

— Comme elle est belle !

— Oh, je voudrais me baigner tout de suite !

— Nous serons à Kernach dans vingt minutes, annonce M. Gauthier. Vous n'allez pas tarder à distinguer la baie. Vous verrez, il y a une drôle de petite île au milieu.

François est le premier à l'apercevoir.

— La voilà !... Regardez, je suis sûr que c'est la baie de Kernach ! Vous avez vu comme c'est beau !

— Tu vois la petite île qui a l'air de monter la garde ? J'aimerais bien la voir de plus près !

— Eh bien, vous en aurez certainement l'occasion, dit Mme Gauthier en se retournant. Maintenant, il faut trouver la *Villa des Mouettes*.

Ils ne tardent pas à la découvrir. La vieille demeure se dresse sur la petite falaise qui domine la baie. Ce n'est pas à proprement parler une villa mais une très grande maison de pierre blanche, délicatement patinée par le temps. Des roses grimpantes en tapissent la façade et le jardin qui l'entoure s'égaie de centaines de fleurs.

chapitre 2

Une étrange cousine

La tante des enfants guettait depuis un moment l'arrivée de la voiture. Elle sort en courant de la maison dès qu'elle la voit apparaître. Tante Cécile plaît aux enfants dès le premier regard.

— Bienvenue à Kernach ! s'écrie-t-elle joyeusement. Quel plaisir de vous voir ! Et que ces enfants sont grands !

Elle embrasse les visiteurs et les fait entrer dans la maison.

— Où est Claudine ? interroge Annie en regardant autour d'elle dans l'espoir de voir surgir sa cousine inconnue.

— Je suis contrariée..., répond sa tante. Je lui ai demandé de rester dans le jardin pour vous attendre mais elle a disparu. Je dois vous avertir que Claude a plutôt mauvais caractère au début... Vous savez, elle a toujours vécu seule et cela l'a rendue un peu sauvage. J'ai peur qu'elle ne soit pas vraiment ravie de vous voir arriver. Mais n'y faites pas attention, ça lui passera.

— Tu l'appelles Claude ? s'exclame Annie, surprise. Je croyais qu'elle s'appelait Claudine.

— Oui, son prénom est bien Claudine. Mais elle déteste être une fille et demande qu'on l'appelle Claude, qui fait plus masculin.

Les enfants se disent que leur cousine doit être quelqu'un d'original. Cependant, elle n'arrive toujours pas. À la place, c'est l'oncle Henri qui apparaît dans l'embrasure de la porte. Il est grand, très brun, avec des traits réguliers mais son large front s'assombrit d'un sévère froncement de sourcils.

— Bonjour, Henri ! dit M. Gauthier. Ça fait bien longtemps que nous ne nous sommes pas vus. J'espère que mon trio ne te dérangera pas trop dans ton travail.

— En ce moment, Henri écrit un ouvrage scientifique, explique tante Cécile, mais son bureau est isolé à l'autre bout de la maison. Je ne pense pas que les enfants le gêneront.

L'oncle Henri se tourne vers les trois jeunes Gauthier et leur adresse un petit signe de tête.

Mais le pli ne s'efface pas de son front : Annie et ses frères ne se sentent pas vraiment à l'aise en sa présence.

— Où est Claude ? s'informe oncle Henri d'une voix grave.

— Je n'en ai pas la moindre idée, avoue tante Cécile, un peu embarrassée.

— Elle a besoin d'une bonne punition, déclare oncle Henri.

Les enfants se demandent bien si c'est une plaisanterie ou s'il parle sérieusement.

— Eh bien, les enfants, j'espère que vous vous vous plairez ici et que vous réussirez à mettre un peu de bon sens dans la tête de Claude !

M. et Mme Gauthier ont décidé de repartir le soir même. Aussi, après un dîner rapide, ils disent au revoir à leurs enfants. Personne n'a encore vu Claude.

— Je suis désolée que nous n'ayons pu dire bonjour à Claudine, murmure Mme Gauthier. Embrassez-la pour nous et dites-lui que nous espérons qu'elle s'amusera bien avec Mick, François et Annie.

Et, les parents s'en vont. Les enfants se sentent un peu seuls lorsque la voiture disparaît au tournant du chemin, mais tante Cécile

17

les conduit au premier étage pour leur montrer leurs chambres.

Les deux garçons couchent dans la même pièce, une petite chambre mansardée d'où l'on a une vue splendide sur la baie.

Annie, elle, partage la chambre de Claudine, dont les fenêtres s'ouvrent sur la lande qui s'étend derrière la maison. Cependant, une petite fenêtre de côté donne sur la mer et Annie en est ravie. De toute manière, la chambre est jolie, et, à travers les vitres, on voit se balancer les roses rouges qui escaladent la façade de la maison.

— Je voudrais bien que Claudine revienne, dit Annie à sa tante.

— Tu sais, le comportement de Claude est parfois un peu désarmant. Elle peut être hautaine et impolie, mais elle a un cœur d'or. Et puis, elle est très fidèle, on peut lui faire confiance. Une fois que vous serez devenus amis tous les quatre, vous pourrez toujours compter sur Claude. C'est seulement dommage qu'elle se lie si difficilement.

Annie se met soudain à bâiller. Comme le redoutent ses frères, la réaction de tante Cécile ne se fait pas attendre.

— Ma pauvre Annie ! Tu es fatiguée. Allez vite vous coucher, les enfants !

Annie embrasse donc ses frères, qui, tout en bâillant eux aussi, rouspètent d'avoir à se mettre au lit si vite.

— Je me demande tout de même où est Claudine, leur confie Annie... Je ne comprends pas pourquoi elle n'était pas là pour nous accueillir... ni pourquoi elle a manqué le dîner... Et maintenant, elle n'est toujours pas revenue alors qu'il est tard. Après tout, elle doit dormir dans la même chambre que moi. Qui sait à quelle heure elle viendra me réveiller !

En fait, les trois enfants dorment depuis longtemps lorsque Claudine se décide enfin à regagner son lit.

Le lendemain, lorsque Annie ouvre les yeux, elle commence par se demander où elle est. Allongée dans son petit lit, elle laisse d'abord courir son regard sur le plafond, puis sur les roses rouges qui s'agitent à la fenêtre.

« Je suis à Kernach, songe-t-elle... et les vacances commencent ! »

Puis, elle jette un coup d'œil au lit voisin du sien. Elle aperçoit la silhouette d'une autre enfant, enroulée dans ses couvertures. La seule chose qu'elle peut distinguer est le haut d'une chevelure brune et bouclée.

Quand la silhouette immobile se décide enfin à bouger, Annie lui adresse la parole :

— Bonjour ! Tu es bien Claudine ?

La fillette couchée dans le lit voisin s'assied et regarde fixement Annie. Ses cheveux bouclés sont coupés très courts, presque comme ceux d'un garçon. Son teint bronzé fait paraître encore plus bleus ses yeux myosotis. Mais elle a l'air renfrogné et fronce les sourcils exactement comme son père.

— Non, déclare la fillette. Je ne suis pas Claudine.

— Ah bon ? s'étonne Annie. Mais alors, qui es-tu ?

— Je suis Claude, affirme la fillette, et je ne te répondrai que si tu m'appelles comme ça. Je déteste être une fille. Je ne veux pas en être une. Je n'aime que les jeux de garçons. Je grimpe aux arbres et je nage mieux que n'importe quel garçon. Je sais naviguer à la voile mieux que n'importe quel marin de la côte. Si tu veux que je te réponde, tu dois m'appeler Claude.

— Ah bon ! répète Annie, en songeant que sa cousine se conduit de manière vraiment étonnante. Très bien. Si tu veux que je t'appelle Claude, cela ne me pose aucun problème.

20

D'ailleurs, Claude est un très joli nom. De toute manière, tu ressembles à un garçon.

— Vraiment ? réplique Claude en cessant un instant de froncer les sourcils.

Les deux cousines se dévisagent un long moment en silence.

— Tu n'es pas désespérée d'être une fille ? demande soudain Claude.

— Non, pas du tout ! s'exclame Annie. J'aime les belles robes... et les jeux de filles.

— Pfff ! Des vêtements et des jouets ! ricane Claude. Tu n'es vraiment qu'un bébé !

Annie est vexée.

— Tu n'es pas très gentille, proteste-t-elle. Je suis sûre que mes frères se moqueront de toi si tu prends des grands airs.

— Eh bien, ils n'ont pas intérêt à être désagréables avec moi, ou sinon je me moquerais d'eux, rétorque Claude en sautant du lit.

Annie se rend compte qu'elles ont pris un bien mauvais départ... Elle se garde donc de répondre et se dépêche de s'habiller. Les deux fillettes sont juste prêtes quand les garçons se mettent à tambouriner à leur porte.

— Tu es habillée, Annie ? Et Claudine est là ? Claudine ! On vous attend !

Claudine ouvre brutalement la porte, passe

21

devant Mick et François la tête haute et dégringole l'escalier.

— Elle ne vous parlera pas si vous l'appelez Claudine, explique Annie. Elle est assez spéciale. Et elle s'est moquée de moi tout à l'heure.

François passe son bras autour des épaules d'Annie et essaie de la consoler :

— Allez, ne t'en fais pas ! On ne la laissera pas t'embêter. Maintenant, viens prendre le petit déjeuner...

Une alléchante odeur de chocolat et de pain grillé s'échappe de la cuisine. Les enfants se dépêchent de descendre et de dire bonjour à leur tante. Elle est justement en train de remplir les bols disposés sur la table, au bout de laquelle est assis l'oncle Henri, plongé dans la lecture de son journal. Les enfants s'installent en silence, un peu gênés.

Claude est déjà là, occupée à beurrer sa tartine. Elle salue l'arrivée de ses cousins d'un froncement de sourcils.

— Arrête de faire cette tête, Claude, lui ordonne sa mère. J'espère que tu t'entendras bien avec tes cousins. Ce matin, tu pourrais emmener Annie, François et Mick sur la plage, et leur faire découvrir la baie : tu leur montreras les meilleurs endroits pour se baigner.

— Ce matin, je vais à la pêche, grogne Claude.

Son père lève les yeux de son journal.

— Certainement pas, intervient-il. Pour une fois, tu vas te montrer aimable et conduire tes cousins à la baie. C'est compris ?

— Oui, papa, dit Claude en fronçant les sourcils une fois de plus, exactement comme son père.

— Oncle Henri, si Claude veut aller à la pêche, nous trouverons bien notre chemin jusqu'à la plage tout seuls ! dit Annie.

— Claude fera ce que je lui ai demandé, rétorque oncle Henri. Et si elle n'obéit pas, elle aura affaire à moi.

Une fois le petit déjeuner expédié, les quatre enfants s'apprêtent à descendre sur la grève. Un petit sentier tranquille serpente jusqu'à la baie. Les jeunes Gauthier le dévalent, tout heureux de se dégourdir les jambes.

— Claude, tu peux aller pêcher si tu veux ! propose à nouveau Annie dès qu'ils arrivent sur la plage. On ne dira rien à tes parents. On ne t'embêtera pas, tu sais. Si tu ne veux pas rester avec nous, tu peux t'en aller.

— Mais on serait bien contents que tu restes avec nous, si tu en as envie, ajoute généreusement François.

23

En fait, il trouve Claude désagréable et mal élevée, mais il ne peut s'empêcher de se sentir attiré par cette fille à l'allure fière et au regard brillant.

Claude le scrute.

— Je vais voir, dit-elle. Je ne deviens pas amie avec les gens juste parce qu'ils sont mes cousins. Je ne deviens amie qu'avec les gens que j'apprécie.

— Exactement comme nous, s'empresse d'ajouter François. Et puis, peut-être que toi non plus, tu ne nous plairas pas !

— Oui... évidemment... c'est possible, répond Claude, qui n'avait pas envisagé cette possibilité. Je sais qu'il y a beaucoup de gens qui ne m'aiment pas.

Annie ne quitte pas des yeux la baie couleur d'azur. Au milieu, se dresse une curieuse petite île rocheuse sur laquelle on aperçoit, au sommet, ce qui ressemble bien à un vieux château en ruine.

— Quelle étonnante petite île ! murmure Annie.

— C'est l'île de Kernach, explique Claude en tournant son regard aussi bleu que la mer en direction de l'îlot. J'adore cet endroit. Si vous me plaisez, je vous y emmènerai peut-être un jour.

— Et à qui appartient cette île ? demande François.

La réponse de Claude surprend tout le monde.

— Elle est à moi ! déclare-t-elle. Enfin, elle *sera* à moi plus tard ! Ce sera mon île personnelle... et mon château particulier !

chapitre 3

Une histoire singulière...
et un nouvel ami

Les trois enfants dévisagent Claude, les yeux arrondis par l'étonnement.

— Qu'est-ce que tu veux dire ? demande finalement Mick. Tu plaisantes !

— Mais non. C'est la vérité ! répond Claude. Tu n'as qu'à interroger maman... Et si tu ne me crois pas, je ne t'adresserai plus jamais la parole. Je ne mens jamais !

François se souvient que tante Cécile a assuré que Claude était d'une grande honnêteté. Il regarde sa cousine en se grattant la tête d'un air perplexe...

— D'accord, dit-il, nous te croirons si tu dis la vérité.

— Que c'est excitant ! coupe Mick. Mais comment ça se fait que l'île soit à toi, Claudine ?

Claude le foudroie du regard et ne répond pas.

— Excuse-moi, dit Mick, pour rattraper sa maladresse. Je voulais dire « Claude »...

— Continue, Claude..., demande François en passant son bras sous celui de sa petite cousine.

Celle-ci se dégage d'un geste brusque.

— Ne fais pas ça, dit-elle. Je ne suis pas encore certaine que je deviendrai votre amie.

— Bon, bon, grommelle François, un peu irrité. Si tu préfères être notre ennemie, ça nous est bien égal. Mais nous aimons beaucoup ta mère et nous ne voulons pas qu'elle croie que nous ne voulons pas devenir tes amis.

— Vous aimez maman ? demande Claude dont le regard bleu s'éclaire un peu. Elle est gentille, pas vrai ? Bon... très bien... je vais vous dire pourquoi le château de Kernach est à moi. Allons nous asseoir.

» Alors voilà ! commence Claude. Il y a très longtemps, presque toutes les terres de ce pays appartenaient à la famille de maman. Puis nos ancêtres ont été ruinés et ils ont dû vendre presque tout. Mais ils ont gardé cette île parce que, avec le temps, le château s'était en partie effondré et que personne ne voulait l'acheter.

» Aujourd'hui, il ne nous reste plus que la

Villa des Mouettes, une ferme à quelques kilomètres d'ici et l'île de Kernach. Ma mère m'a
promis que quand je serai grande, l'île serait à
moi. Et comme l'île n'intéresse pas vraiment
maman, je peux dès maintenant la considérer
comme mienne. Vous comprenez à présent
pourquoi je dis qu'elle est à moi ?

Ses trois cousins la dévisagent en silence. Ils
sont maintenant convaincus qu'elle dit la vérité.

— Oh, s'écrie Mick. Quelle chance tu as !
Cette île est si jolie ! J'espère que nous serons
bientôt amis et que tu pourras nous emmener
là-bas.

— Eh bien... pourquoi pas, concède Claude,
tout heureuse de l'intérêt qu'elle a suscité. Je
vais y réfléchir.

Les quatre enfants se taisent un moment.
Leur regard est fixé sur la petite île que l'on
aperçoit au loin. Comme la marée est basse, la
côte a l'air presque accessible à pied. Mick
demande soudain s'il n'est pas possible de tra-
verser en pataugeant dans l'eau.

— Non, répond Claude. On ne peut aller sur
l'île qu'en bateau. Elle est beaucoup plus loin
qu'elle ne paraît et l'eau est très profonde. Et
puis, mon domaine est entouré de rochers. Il
faut savoir exactement où se faufiler. Toute la

côte est dangereuse par ici. Il y a beaucoup d'épaves dans le coin.

— Des épaves ! s'exclame François. Je n'en ai jamais vu de ma vie ! On peut en apercevoir quelques-unes ?

— Beaucoup sont tout au fond de la mer ou ont été enlevées. En fait, il n'en reste qu'une, de l'autre côté de l'île. Si on s'arrête juste au-dessus, on peut apercevoir son mât cassé. Mais la mer doit être calme et il faut avoir de bons yeux. D'ailleurs, cette épave aussi m'appartient.

Pour le coup, les enfants ont du mal à croire Claude.

Mais elle insiste :

— Si, si, cette épave est à moi. C'est un bateau qui appartenait à l'un de mes arrière-arrière-grands-pères. Le navire transportait de l'or – des lingots – et il a sombré au large de l'île de Kernach.

— Ooooh... et qu'est devenu l'or ? demande Annie, les yeux ronds.

— Personne ne le sait, avoue Claude. Je pense que l'épave a été pillée. Bien sûr, on y a envoyé des plongeurs mais personne n'a jamais découvert la moindre parcelle d'or.

— Cette histoire est passionnante ! s'exclame François. J'adorerais jeter un coup d'œil à cette épave !

— Eh bien... nous pourrions peut-être y aller cet après-midi, à marée basse, propose Claude.

— Ce serait formidable ! s'écrie Annie. Et maintenant, Claude, si on se baignait ?

— Il faut d'abord que j'aille chercher Dagobert, déclare Claude en se levant d'un bond.

— Qui est Dagobert ? interroge Mick.

— Vous pouvez garder un secret ? demande Claude. Un secret que mes parents ne doivent surtout pas connaître...

— Bien sûr ! Nous serons muets comme des carpes, assure François.

— Dagobert est mon meilleur ami, explique Claude. Je ne pourrais pas vivre sans lui. Mais papa et maman ne l'aiment pas et je dois le voir en cachette. Je vais le chercher...

Elle s'éloigne en courant.

— Je me demande qui peut bien être ce Dagobert, murmure François d'un air intrigué. Probablement un jeune pêcheur qui ne plaît pas aux parents de Claude.

Étendus sur le sable fin, les trois enfants attendent le retour de leur cousine. Soudain, ils entendent la voix claire de Claude derrière eux.

— Dagobert, viens vite ! Viens vite, Dago !

Ils se redressent pour voir à quoi ressemble

31

Dagobert mais, au lieu du petit pêcheur qu'ils s'attendaient à trouver, ils aperçoivent un grand et gros chien, sans race définie, avec une queue interminable et qui semble vraiment sourire.

L'animal, visiblement fou de joie, bondit autour de Claude. La petite fille rejoint ses cousins en courant.

— Je vous présente Dagobert. Dago, ou Dag, pour les intimes, dit-elle. Il est parfait, non ?

Le qualificatif « parfait » est certainement un peu excessif pour décrire le chien. Ses proportions sont loin d'être harmonieuses. Il a une tête trop grosse, des oreilles trop larges, une queue trop longue et il est absolument impossible de deviner sa race. Mais il est tellement joyeux, folâtre, maladroit, amical et gai que les trois jeunes Gauthier l'adorent au premier coup d'œil.

— Quel bon gros toutou ! s'exclame Annie qui, pour la peine, reçoit un coup de langue sur le nez.

— Oui, c'est une brave bête ! renchérit Mick en donnant une tape amicale à l'énorme chien qui se met à sautiller comme un fou.

Claude sourit et sa figure en est tout de suite illuminée. Elle se laisse tomber sur le sable et

Dago s'assied à côté d'elle, en lui donnant autant de coups de langue qu'il le peut.

— Je l'adore, confesse-t-elle. Je l'ai trouvé un jour sur la lande. À l'époque, c'était encore un tout petit chien et je l'ai ramené à la maison. Au début, maman l'aimait aussi, mais quand Dago a été grand, il a commencé à faire des bêtises.

— Quel genre de bêtises ? demande Annie, très intéressée.

— Eh bien, il a une sévère tendance au mâchonnement, explique Claude. Il s'est mis à mordiller tous les objets qui lui tombaient sous la dent : un tapis neuf que maman venait d'acheter, son plus joli foulard, les pantoufles de papa... Et puis, il aboyait. Papa disait qu'autant de bruit le rendait fou. Chaque fois que Dago aboyait, papa le tapait, moi je me mettais en colère et papa se fâchait contre moi. Un jour, papa a décidé qu'on ne pouvait plus garder Dago à la villa. Maman était d'accord et j'ai dû me séparer de lui. J'ai pleuré pendant plusieurs jours... et pourtant, vous savez, ce n'est pas dans mes habitudes de pleurer. Les garçons ne pleurent jamais et moi je suis comme un garçon. Mais je n'ai pas pu m'empêcher de sangloter quand mes parents ont mis

Dago à la porte. Je n'arrivais pas à m'arrêter, et Dago aussi a pleuré.

Les enfants posent sur Dago un regard très respectueux. Ils ne savaient pas que certains chiens pouvaient pleurer..

— Tu veux dire... qu'il a versé de vraies larmes ? demande Annie.

— Non, pas vraiment, dit Claude. Mais il a poussé des aboiements pleins de tristesse et il avait l'air tellement malheureux que j'en avais le cœur brisé. Là, j'ai compris que je n'arriverais jamais à vivre sans lui. Je suis allée voir Jean-Jacques, un jeune pêcheur du village, et je lui ai demandé s'il voulait bien prendre Dago en pension chez lui en échange de tout l'argent de poche que je recevais. Depuis, toutes mes économies passent dans l'entretien de Dago. Il a un appétit énorme, vous savez... pas vrai, Dago ?

— Ouah ! répond Dago en se roulant sur le dos et en agitant frénétiquement les pattes.

François lui chatouille le ventre.

— Comment tu fais quand tu as envie de bonbons ou de glaces ? demande Annie qui dépense presque tout son argent de poche en friandises.

— Je m'en passe, c'est tout, dit Claude.

Un tel héroïsme plonge les autres enfants

dans l'admiration. Au même instant la clochette du marchand de glaces retentit au loin. François fouille dans sa poche, puis il se précipite en direction du vendeur, en faisant tinter ses pièces. Quelques minutes plus tard il est de retour, avec quatre gros cornets au chocolat dans les mains. Il en donne un à Mick, un à Annie et tend le troisième à Claude. La petite fille secoue courageusement la tête.

— Non, merci, dit-elle. Tu sais que je ne peux pas acheter de glaces, et je ne pourrai jamais vous en offrir. Je ne peux donc rien recevoir. C'est nul d'accepter des cadeaux qu'on ne peut pas rendre.

— Tu peux en accepter de notre part, répond François en essayant de lui fourrer le cornet dans la main. Nous sommes tes cousins.

— Non, merci, répète Claude. Mais je te remercie beaucoup. C'est gentil de ta part, François.

Elle le regarde de ses clairs yeux bleus et François se torture un moment les méninges en cherchant un moyen de faire céder l'obstinée. Tout à coup, il sourit.

— Écoute, lui dit-il. Tu as beaucoup de choses que nous aimerions partager avec toi. Si tu veux bien nous en faire profiter, nous partageons avec toi nos bonbons et nos glaces. Ça te va ?

Claude regarde son cousin d'un air surpris.

— Je ne vois pas ce que je peux avoir que vous voudriez partager avec moi.

— D'abord, tu as un chien, réplique François en caressant Dago. Tu pourrais nous le prêter un peu : on l'aime déjà beaucoup. Après, il y a ton île. Et je t'assure que nous avons vraiment envie d'y aller ! Et puis, ton épave... À côté de tes richesses, les glaces et les bonbons ne sont pas grand-chose... mais nous pourrions peut-être quand même nous mettre d'accord pour tout partager.

Dago lève la tête avec intérêt comme s'il comprenait l'offre que fait François à Claude. Il bondit et donne un grand coup de langue au garçon.

— Regarde, tu vois bien... Dago veut aussi sa part ! dit François en riant. Il a l'air content d'avoir trois nouveaux amis.

— Oui... on dirait bien, répond Claude. Et, cédant soudain, elle prend la glace au chocolat que lui tend son cousin.

— Merci, François. Je partagerai moi aussi avec vous. Mais promettez-moi que vous ne direz jamais à personne à la maison que j'ai gardé Dago.

— Promis, assure François. Mais je ne vois pas ce que ça peut faire à tes parents, tant que Dago ne vit plus sous leur toit. Dis-moi, comment trouves-tu cette glace ? Elle est bonne ?

— C'est la meilleure que j'aie jamais mangée ! s'écrie Claude en léchant son cornet. C'est délicieux ! Vous êtes gentils tous les trois, conclut-elle, et finalement, je suis contente que vous soyez venus. Cet après-midi, nous prendrons le bateau et nous ramerons jusqu'à l'île pour jeter un coup d'œil à l'épave.

chapitre 4

L'épave mystérieuse

Puis, les quatre enfants vont se baigner, ce matin. Les jeunes Gauthier découvrent vite que Claude nage bien mieux qu'eux.

— Tu nous bats tous, et de loin ! constate François avec admiration.

Quand l'heure du repas de midi arrive, les enfants sont affamés et se jettent sur l'excellent repas que tante Cécile leur a préparé.

— Que comptez-vous faire cet après-midi ? demande-t-elle.

— Claude va nous emmener en bateau de l'autre côté de l'île pour nous montrer l'épave, répond Annie.

Tante Cécile regarde sa fille d'un air surpris.

— Claude va vous emmener en bateau ? répète-t-elle. J'ai du mal à le croire. Dis-moi,

39

Claude, qu'est-ce qu'il t'arrive ? Jusqu'à présent, tu as toujours refusé de prendre quelqu'un à bord de ton canot. Et pourtant, je te l'ai souvent demandé...

Claude ne répond pas et se consacre à son dessert. Elle n'a d'ailleurs pas prononcé un seul mot de tout le repas. Oncle Henri n'est pas venu à table, au grand soulagement de ses neveux et nièce.

— Alors comme ça, reprend tante Cécile, tu vas emmener tes cousins en bateau. Je suis contente que tu obéisses à ton père.

Claude secoue la tête.

— Je le fais parce que ça me plaît, déclare-t-elle.

Sa mère se met à rire.

— Eh bien, je suis ravie que tu te plaises avec François, Mick et Annie. J'espère qu'eux aussi ils apprécient ta compagnie !

— Oh oui, s'écrie Annie avec élan. Nous aimons beaucoup Claude et nous aimons aussi Da...

Elle a sur les lèvres le nom de Dago mais ne le prononce pas car, au même instant, elle reçoit un coup de pied dans la cheville qui lui fait tellement mal qu'elle laisse échapper un cri de douleur tandis que de grosses larmes lui

40

montent aux yeux. Claude la foudroie du regard.

— Claude ! Pourquoi as-tu donné un coup de pied à Annie alors qu'elle était justement en train de dire des choses gentilles sur toi ? s'écrie tante Cécile. Sors de table tout de suite. Je refuse que tu te conduises comme ça !

Claude quitte la pièce sans dire un mot et s'en va dans le jardin, laissant dans son assiette la grosse part de tarte aux pommes qu'elle vient à peine d'entamer.

Mme Dorsel est très fâchée contre sa fille.

— Finissez votre dessert, dit-elle aux autres enfants. J'imagine qu'en ce moment Claude doit être en train de bouder. Mais pourquoi a-t-elle un caractère si difficile ?

Les cousins de Claude ne se soucient pas vraiment de savoir si elle est en train de bouder. Une seule chose les tracasse : et si, maintenant, Claude n'avait plus du tout envie de les emmener visiter l'épave ?

Le repas s'achève en silence.

Dès que tante Cécile a quitté la pièce, Annie ramasse la part de tarte que Claude a laissée et se précipite dans le jardin à la recherche de sa cousine. Elle la trouve étendue de tout son long sous un gros arbre au fond du jardin.

— Claude, lui dit-elle vivement, je suis

désolée. Voici ta part de dessert. Je te promets que je ne prononcerai plus jamais le nom de Dago.

— Je crois que je n'ai plus envie de vous emmener visiter l'épave ! déclare sa cousine.

Annie sent son cœur se serrer. C'est précisément ce qu'elle craignait.

— Je comprends, dit-elle d'un air piteux. Tu as tout à fait raison de ne pas vouloir de moi. Mais les garçons ne t'ont rien fait, eux. Emmène-les !... Et puis, ajoute-t-elle en montrant sa jambe, tu m'as donné un grand coup de pied. Regarde, j'ai déjà un bleu.

Claude jette un coup d'œil à la cheville tuméfiée.

— Mais tu ne seras pas triste si j'emmène Mick et François et que je te laisse ? demande-t-elle.

— Si, bien sûr, réplique Annie. Mais je ne veux pas qu'ils soient privés de l'excursion à cause de moi !

Alors Claude fait une chose très surprenante. Elle dépose un gros baiser sur la joue d'Annie. Aussitôt, elle se sent tout honteuse, car elle est persuadée qu'un garçon n'agirait jamais de la sorte. Elle qui fait toujours de son mieux pour ressembler à un garçon !

— Allez, ça va ! reprend-elle d'un ton

bourru en s'emparant de sa part de tarte. Tu as failli faire une gaffe et moi je t'ai donné un coup de pied. Nous sommes quittes. Tu peux venir avec nous cet après-midi !

Annie court raconter à ses frères que tout est arrangé et, un quart d'heure plus tard, les quatre enfants se précipitent sur le sentier conduisant à la grève. À côté d'un joli canot se tient un jeune pêcheur au teint hâlé. Il doit avoir environ quatorze ans. Dago sautille à ses côtés.

— Le bateau est prêt, Claude, annonce-t-il avec un large sourire.

— Merci, répond Claude en invitant d'un geste ses cousins à monter à bord.

Dago lui aussi saute dans l'embarcation. Claude pousse le canot et s'y élance à son tour. Puis elle prend les rames.

Elle manie les avirons à la perfection et le bateau avance à vive allure. Les enfants se régalent de ce merveilleux après-midi et s'amusent beaucoup de glisser ainsi sur la mer calme. Dago s'est posté à la proue du bateau et aboie chaque fois qu'une vague montre le bout de sa crête.

— Regardez ! On dirait que l'île se rapproche ! s'exclame soudain François avec excitation. Elle est plus grande que je ne pensais. Et le château ! Il est fascinant !

43

Le bateau continue d'avancer et les enfants constatent bientôt que l'île est défendue par un véritable rempart de rochers pointus. À moins de savoir exactement entre lesquels passer, aucun bateau ne peut accéder à la grève. Le vieux château se dresse au milieu de l'île, sur une petite butte. Il ne reste de sa splendeur passée que des voûtes brisées, des tours effondrées et des murs en ruine. La demeure seigneuriale, qui était autrefois une place forte, sert aujourd'hui de gîte aux choucas et aux mouettes qui viennent se percher sur les pans les plus élevés de la muraille.

— Ce château respire le mystère, murmure François, qui ne peut en détacher ses yeux. Est-ce qu'on peut aborder dans l'île dès cet après-midi ?

— Pas si vous voulez voir l'épave... Il faut qu'on soit de retour à la maison à l'heure du goûter et on aura juste assez de temps pour aller de l'autre côté de l'île et revenir.

— Cap sur l'épave alors, décide François.

Une fois l'îlot contourné, les enfants s'aperçoivent que le côté du château qui fait face à la mer semble en plus piètre état encore que celui qui regarde vers la terre.

— C'est que les grands vents viennent du large, explique Claude. Mais il existe un port,

44

tout au fond d'une petite baie. Seuls les fins connaisseurs de l'île le savent.

Au bout d'un moment, Claude pique vers le large, laissant l'île de Kernach derrière elle. Soudain, elle s'arrête de ramer et regarde en direction de la côte.

— Comment est-ce que tu fais pour repérer l'endroit où se trouve l'épave ? demande Mick, très intrigué. Ça ne doit pas être facile !

— Tu vois ce clocher, là-bas, sur la terre ferme ? répond Claude. Et tu vois aussi le sommet de cette colline, un peu plus sur la droite ?... Eh bien, lorsque les deux se trouvent sur une même ligne et qu'on les aperçoit entre les deux tours du château, alors tu peux être sûr que tu es juste au-dessus du vieux bateau.

Les enfants se mettent à fouiller des yeux les profondeurs de la mer. L'eau est calme et sa surface parfaitement lisse. Le vent a cessé de souffler. Dago lui aussi regarde dans l'eau, la tête penchée sur le côté, les oreilles dressées, comme s'il avait compris ce qu'il fallait chercher.

— On n'est pas tout à fait à l'aplomb de l'épave, constate Claude en se penchant par-dessus bord. L'eau est tellement claire aujourd'hui qu'on peut voir à une bonne profondeur. Attendez, je vais ramer un peu plus à gauche.

— Ouah ! aboie soudain Dago en remuant la queue.

Et, à cet instant précis, les enfants aperçoivent quelque chose au-dessous d'eux.

— C'est l'épave ! exulte François. Je vois un morceau du mât brisé. Regardez !

Au bout de quelques instants ils arrivent à distinguer avec une certaine netteté les contours d'une coque sombre d'où jaillit un mât à moitié détruit.

— Pauvre bateau ! murmure François. Claude, j'aimerais bien plonger pour aller le voir de plus près.

— Et pourquoi pas ? répond Claude. J'ai déjà plongé plusieurs fois ici, je t'accompagnerai si tu veux...

Quelques instants plus tard, ils sont en maillot de bain. Claude exécute un splendide plongeon depuis la proue. Les autres la regardent nager sous l'eau : elle avance par brasses puissantes, tout en retenant sa respiration.

Elle remonte peu après à la surface, à bout de souffle.

— J'ai presque réussi à atteindre l'épave, annonce-t-elle. Elle n'a pas changé depuis la dernière fois que je l'ai vue. Je voudrais bien entrer dans le bateau, mais je ne garde jamais assez d'air. Tu plonges avec moi cette fois, François ?

Et François s'exécute... Malheureusement il nage beaucoup moins bien sous l'eau que sa cousine et il ne peut pas descendre aussi loin. Cependant, il sait garder les yeux ouverts sous l'eau et parvient à apercevoir la fameuse épave. Elle lui paraît triste et étrange. Il se sent un peu mal à l'aise. Aussi, il est très content de remonter à la surface. Il se hisse à bord du canot.

— C'est passionnant mais assez lugubre ! annonce-t-il à son frère et à sa sœur. C'est dommage qu'on ne puisse pas visiter à fond cette carcasse ! J'aimerais tellement jeter un coup d'œil aux cabines ! Imaginez qu'on trouve les coffrets d'or !

— C'est impossible, affirme Claude. Je vous ai déjà dit que de vrais plongeurs avaient inspecté ce bateau. Ils n'ont jamais rien trouvé... Quelle heure est-il ? Oh non ! On va être en retard si on ne se dépêche pas un peu !

Ils rentrent aussi vite que possible et arrivent presque à temps pour le goûter. Une fois restaurés, ils sortent faire une promenade sur la lande. Dago, là encore, est de la partie et ne quitte pas les enfants d'une semelle. Le soir venu, les quatre amis sont tellement fatigués que leurs yeux se ferment tout seuls.

— Bonne nuit, Claude ! dit Annie en se glissant entre les draps. Nous avons passé une excellente journée... grâce à toi !

— Moi aussi, j'ai passé une très bonne journée, répond Claude d'un ton bourru, grâce à *vous* ! Je suis contente que vous soyez venus ici pour les vacances. On va bien s'amuser tous les quatre. Je crois que mon château et ma petite île vous plairont !

chapitre 5

Visite de l'île

Le lendemain, tante Cécile prépare un repas froid. Elle a décidé d'accompagner les enfants jusqu'à une petite crique des environs où ils pourront se baigner. Le temps s'annonce splendide. Mais, au fond d'eux, François, Mick et Annie auraient préféré aller visiter l'île de Claude.

Pourtant, le pique-nique se déroule sans histoire et les enfants se baignent plusieurs fois. Claude apprend à Annie à nager correctement. Au début, la petite fille n'arrive pas à coordonner les mouvements de ses bras et de ses jambes, et Claude n'est pas peu fière lorsque sa cousine surmonte enfin cette difficulté.

Sur le chemin du retour, Claude s'arrange pour parler seule à seul à François.

— Écoute, tu veux bien dire que tu vas acheter un timbre, une glace, ou quelque chose
comme ça ? demande-t-elle. Ainsi, je pourrai y
aller avec toi et en profiter pour passer dire un
petit bonjour à Dago. Il doit se demander pourquoi il ne m'a pas vue de la journée.

— C'est d'accord ! accepte François. Une
bonne glace n'a jamais fait de mal à personne !
Mick et Annie peuvent rentrer avec tante Cécile
et porter les paquets. Attends, je vais prévenir
ta mère !

En courant, il rattrape Mme Dorsel.

— Est-ce que je peux aller acheter des
glaces ? demande-t-il. J'aurai vite fait. Et est-ce
que Claude peut venir avec moi ?

— Ça m'étonnerait qu'elle veuille t'accompagner, répond tante Cécile, mais tu peux toujours lui demander.

— Claude ! Tu viens avec moi ! crie François à tue-tête en s'engageant sur le petit sentier qui conduit au village.

Claude sourit tout à coup, et se lance à la
poursuite de son cousin. Arrivée à sa hauteur,
elle le remercie chaleureusement.

—Tu me rends un sacré service ! lui dit-elle.
Va vite acheter tes glaces pendant que je dis
bonjour à Dago.

Ils se séparent. François achète quatre glaces

50

à la vanille et reprend tranquillement le chemin de la *Villa des Mouettes*. Claude le rejoint
en courant quelques minutes plus tard.

Le visage de la fillette rayonne.

— Dag va bien ! annonce-t-elle. Si tu avais
vu comme il était content de me voir ! Il n'ar-
rêtait pas de bondir ! Quoi... encore une glace
pour moi ? Tu es vraiment sympa, François. Il
va falloir que je me dépêche de te faire partager quelque chose à mon tour. Et si on allait
visiter mon île demain ? Qu'est-ce que tu en
dis ?

— Génial ! s'écrie François les yeux
pétillants de joie. Allons vite prévenir les
autres !

Les quatre enfants s'installent dans le jardin
pour déguster leurs glaces. Mick et Annie sont
aussi enthousiastes que leur frère à l'idée d'aller visiter l'île le lendemain et Claude est
enchantée. Jusqu'ici, elle avait apprécié de se
sentir supérieure aux autres chaque fois qu'elle
avait refusé d'y emmener les enfants du voisi-
nage. Mais, maintenant, il lui semble bien plus
agréable d'y aller avec ses cousins.

Les enfants parlent sans cesse de l'excursion
prévue pour le lendemain. Leur tante sourit en
les entendant.

— Eh bien, dit-elle, je suis contente que

51

Claude ait proposé de vous emmener sur son île !... Est-ce que vous aimeriez emporter votre déjeuner là-bas et y passer la journée ?

— Oh ! Tante Cécile ! Quelle bonne idée ! s'écrie Annie.

Claude regarde sa mère.

— Tu comptes venir avec nous, maman ? demande-t-elle.

— Tu n'as pas tellement l'air d'y tenir, constate Mme Dorsel d'un air peiné. Ne t'inquiète pas... je ne vous accompagnerai pas !

Les autres enfants ne répondent pas. Ils savent que, si leur cousine ne veut pas que sa mère soit de l'excursion, c'est uniquement parce qu'elle veut emmener Dago.

Le lendemain matin, dès le réveil, les trois petits Gauthier inspectent le ciel.

— Quel beau temps ! dit Annie à Claude tout en s'habillant. J'ai hâte de visiter ton île !

Les enfants descendent pour le petit déjeuner. Claude propose à sa mère de l'aider à préparer les sandwiches qu'ils emporteront sur l'île.

— D'accord, répond tante Cécile. Annie et toi, vous couperez le pain. Pendant ce temps, les garçons iront au jardin choisir des prunes bien mûres pour votre dessert. Quand tu auras

52

fini de cueillir les fruits, François, tu pourras faire un saut au village et rapporter quelques bouteilles de limonade ?

Bientôt, les enfants se mettent en route avec les provisions réparties dans deux grands sacs. Mais, avant toute chose, ils passent chercher Dago. Le chien est attaché dans une petite cour, derrière la maison de Jean-Jacques. Le jeune pêcheur est là lui aussi et il sourit à Claude.

— Bonjour, Claude, dit-il avec entrain. Dago est déchaîné depuis ce matin ! Il n'arrête pas d'aboyer. Je crois qu'il a deviné que vous alliez l'emmener en excursion.

— Bien sûr qu'il l'a deviné ! confirme Claude en détachant son chien.

Fou de joie, l'animal bondit. Sitôt libre, il tourbillonne parmi les enfants, queue et oreilles au vent, puis s'assagit soudain pour se rapprocher de Claude et trotter à son côté.

Arrivés sur la plage, les quatre cousins grimpent dans le canot et Claude s'empare des rames. Jean-Jacques leur dit au revoir de la main.

— Ne restez pas trop longtemps dehors ! leur crie-t-il. Un orage se prépare. Et un gros, j'ai l'impression !

Claude tient à ramer toute seule jusqu'à l'île. Dago parcourt le canot d'un bout à l'autre, aboyant à chaque grosse vague. Les enfants regardent l'île s'approcher. Elle leur semble encore plus impressionnante que l'autre jour.

— Claude, où est-ce que tu comptes aborder ? demande Mick. Je t'admire de retrouver ton chemin parmi tous ces rochers si proches de la surface. J'ai tout le temps peur que notre bateau aille se briser dessus.

— Je vais jeter l'ancre dans la petite crique dont je vous ai parlé l'autre jour, explique Claude. Il n'y a qu'un seul passage pour l'atteindre, mais je le connais très bien.

Avec habileté, la fillette manœuvre l'embarcation entre les rochers et, tout à coup, après avoir frôlé le flanc de pierres acérées, ses cousins aperçoivent la crique. Elle forme un petit havre naturel, aux eaux calmes, bien abrité par de hauts rochers sur deux côtés, et bordé par une plage de sable très accueillante.

— Que c'est beau ! s'exclame François.

Claude regarde son cousin et ses yeux se mettent à briller. Elle est heureuse d'emmener pour la première fois des amis sur son île.

Le canot aborde sur la plage de sable doré.

— Ça y est, nous sommes enfin sur l'île ! s'écrie Annie en sautillant. Dago la rejoint et bondit avec elle. Les autres enfants éclatent de rire. Claude tire son canot aussi haut que possible sur le sable.

— Pourquoi si haut ? demande François en l'aidant.

— J'ai peur qu'il y ait une tempête, répond Claude. S'il y en a une, la baie ne sera pas à l'abri de grosses vagues et je n'ai pas envie de perdre mon bateau.

— Bien sûr...

— Qu'est-ce que j'ai envie d'explorer l'île ! crie Annie, qui est arrivée tout en haut du petit port naturel en escaladant les rochers qui l'encerclent. Dépêchez-vous !

Les trois autres la suivent... L'endroit est magnifique. Il y a des lapins partout, qui s'agitent en tous sens et se dispersent à la vue des arrivants, sans pour autant se réfugier dans leur terrier.

— Ils ont l'air bien sûrs d'eux-mêmes ! constate Mick d'un air surpris.

— Il faut dire que personne ne vient jamais ici... à part moi ! répond Claude. Et je fais toujours attention à ne pas les effrayer. Dago ! Dago ! Si tu cours après les lapins, je vais te punir !

Dago tourne vers sa maîtresse un regard consterné. Claude et lui s'entendent sur tout, sauf sur les lapins : pour Dago, pas de doute,

55

les lapins sont *faits* pour être pourchassés. Mais le chien se retient, et rejoint les enfants d'un pas solennel, tout en lançant des regards envieux en direction des lapins.

— Voilà le château ! annonce François. On va le visiter tout de suite ?

— Allons-y, consent Claude... Regardez... Avant, la porte principale se trouvait ici. On passait sous cette voûte qui est maintenant à moitié effondrée.

Les enfants contemplent longuement l'immense arche qui se dresse devant eux. Derrière, on aperçoit les marches de pierre d'un escalier en ruine qui conduit au centre du château.

— À l'origine, le château était entouré de murailles très épaisses et il possédait deux tours, explique Claude. Une des tours a presque entièrement disparu, mais l'autre est encore en assez bon état. C'est le repaire de choucas aujourd'hui. C'est plein de brindilles.

Tandis que les jeunes promeneurs se dirigent vers la seule tour qui est encore en état, des choucas volent en cercle au-dessus d'eux, poussant d'effroyables croassements. Dago n'arrête pas de sauter, comme pour les attraper, mais les oiseaux ont l'air de se moquer de lui.

— Ça y est, on est au centre du château, dit Claude en franchissant une porte en ruine. Ses cousins la suivent dans ce qui semble être une grande cour, dallée de pierres à moitié enfouies sous les herbes.

— À l'époque, les habitants du château passaient beaucoup de temps dans cette cour. Par ici, on peut encore voir où se trouvaient les chambres... Regardez ! Celle-ci est presque habitable...

La petite troupe arrive dans une salle obscure, aux murs et au toit de pierre. À l'une des extrémités, on devine l'endroit où se trouvait jadis la cheminée. La pièce n'est éclairée que par deux petites ouvertures qui tiennent lieu de fenêtres. C'est un endroit vraiment déconcertant.

— Quel dommage que le château soit en si mauvais état ! soupire François. Cette salle est apparemment la seule qui soit à peu près intacte...

Il sort, entraînant ses compagnons.

— Est-ce qu'il y a des oubliettes ? s'enquiert Mick

— Je pense que oui, dit Claude. Mais personne n'a jamais réussi à les repérer... Il y a trop de mauvaises herbes !

— Ça m'est égal, je trouve ce lieu magnifique, moi ! déclare Annie

— C'est vrai ? demande Claude, enchantée.

57

Ça me fait très plaisir... Regardez ! On est de l'autre côté de l'île, face à la mer. Vous voyez tous ces rochers, là-bas, avec de gros oiseaux posés dessus ?

Les enfants aperçoivent quelques grosses roches émergeant des flots. D'étonnants oiseaux noirs et brillants trônent au sommet.

— Ce sont des cormorans, explique Claude. Tiens ! Ils s'envolent tous à la fois. Je me demande bien pourquoi !

La réponse ne se fait pas attendre. Brusquement un terrible grondement s'élève dans l'horizon...

— Le tonnerre ! s'écrie Claude. C'est le début de la tempête. Elle a éclaté plus tôt que prévu !

chapitre 6

Et la tempête fait un miracle

Lorsque les enfants se sont mis en route, le ciel était couleur d'azur. À présent, il vire presque au noir et de gros nuages sombres courent très bas. Le hurlement du vent est tellement lugubre qu'Annie est tout effrayée.

— Il commence à pleuvoir ! annonce François. Il vaudrait mieux nous mettre à l'abri.

— Oui, attends une minute, répond Claude. Tu as vu la taille des vagues dans la baie ? Il faut tirer le canot encore plus haut ! Cette tempête va être terrible. En été, elles sont quelquefois pires qu'en hiver.

François et elle courent vers le bateau... Claude a eu raison de prévoir le pire : d'énormes vagues sont déjà prêtes à submerger la petite embarcation...

59

Les deux enfants tirent le bateau presque jus-qu'au sommet de la falaise, et Claude l'attache solidement à une souche enracinée dans les rochers.

À présent, il tombe des torrents d'eau.

— J'espère que les autres auront été assez malins pour se mettre à l'abri dans la salle qu'on a vue tout à l'heure, dit Claude en cou-rant vers le château.

Mick et Annie s'y sont bien réfugiés. Claude et son cousin les retrouvent gelés et effrayés.

— Je n'ai jamais entendu l'océan faire un vacarme pareil, confie Annie.

Elle n'a pas tout à fait tort. Avec le hurle-ment du vent et le fracas des grosses vagues autour de la petite île, les enfants peuvent à peine s'entendre ! Ils doivent crier pour se faire comprendre.

— On pourrait déjeuner ! hurle Mick à qui l'émotion ne coupe jamais l'appétit. Il n'y a rien de mieux à faire, avec cette tempête.

— Tu as raison ! s'écrie Annie en regardant les sandwiches au jambon avec envie.

— Ce sera amusant de pique-niquer ici, dans cette pièce sombre, dit François. Je me demande depuis combien de temps personne n'a mangé ici. J'aurais bien aimé rencontrer ces gens !

— Pas moi ! réplique Mick, assez mal à l'aise.

On dirait presque qu'il s'attend à voir des personnages du passé entrer dans la pièce pour partager son repas. Cette tempête est suffisamment sinistre sans qu'on parle de rencontrer des spectres ! Tous se sentent beaucoup mieux après avoir avalé leurs sandwiches et bu de la limonade.

Dago, lui non plus, ne paraît pas beaucoup apprécier la tempête. Il est assis tout contre Claude, les oreilles dressées, et il grogne chaque fois qu'un coup de tonnerre ébranle les vieux murs. Les enfants lui donnent à manger, car il n'a pas perdu son appétit pour autant.

Comme dessert, en plus des prunes, chacun des enfants a droit à quatre biscuits.

— Je crois que je vais donner les miens à Dago, dit Claude. Je n'ai pas pensé à apporter des biscuits pour chien et il a l'air d'avoir tellement faim !

— Mais non, ce n'est pas la peine ! intervient François. On va tous lui en donner un. Avec quatre morceaux de gâteaux secs, il en aura bien assez !

— Vous êtes vraiment gentils. Pas vrai, Dago ? Tu ne trouves pas qu'ils sont très gentils ?

— Ouah ! aboie Dago qui semble tout à fait de l'avis de sa petite maîtresse. Et, pour prouver son affection, il donne de grands coups de langue à tout le monde, ce qui fait rire les enfants. Alors, fou de joie, il se met sur le dos et laisse Mick lui chatouiller le ventre.

Un peu plus tard, François sort pour admirer la tempête. Dehors, il reste un moment debout, immobile, la pluie ruisselant sur sa tête nue.

L'orage semble à présent se déchaîner juste au-dessus du vieux château. Un éclair déchire le ciel, presque aussitôt suivi d'un coup de tonnerre. D'habitude, François n'a pas peur des orages, mais celui-ci l'impressionne.

« Il faut à tout prix que j'aille voir à quoi ressemblent les vagues, songe le jeune garçon. Si leur écume arrive jusqu'à moi, c'est qu'elles doivent être monstrueuses ! Je me demande comment nous allons pouvoir rentrer ce soir. Heureusement, il paraît que les orages de ce genre ne durent pas longtemps. »

François se met à grimper sur l'un des remparts en ruine. Une fois au sommet, il reste debout, les yeux tournés vers le large. Le spectacle qui s'offre à lui dépasse tout ce qu'il avait imaginé.

Les vagues se ruent à l'assaut des rochers qui

entourent l'île de Kernach et le blanc étincelant de leur écume jaillit au premier plan du
ciel d'orage. Elles se précipitent contre la
falaise avec une telle force que François peut
sentir le mur trembler sous ses pieds. Et soudain, tandis qu'il regarde déferler les gros rou-
leaux, il aperçoit quelque chose de très
curieux...

C'est un objet qui est ballotté par les vagues,
une masse sombre et assez grosse, qui semble
avoir émergé des flots et cherche à retrouver
son équilibre.

« Qu'est-ce que c'est ? Tout de même pas un
bateau... » se dit François. Cependant le jeune
garçon sent son cœur battre de plus en plus vite,
et son regard s'efforce désespérément de percer le rideau de pluie qui lui bouche la vue.

Personne à bord ne pourrait échapper à une
tempête pareille !

Il continue un long moment à guetter l'objet
inconnu. La masse sombre reparaît au sommet
d'une vague, puis disparaît de nouveau dans un
creux. François se décide alors à aller prévenir
les autres. Il entre en courant dans la petite
salle.

— Claude ! Mick ! Annie ! Il y a quelque
chose de bizarre qui flotte sur la mer, au large

63

de l'île ! crie-t-il le plus fort possible. Ça ressemble à un bateau ! Venez voir !

Les trois enfants le regardent d'un air surpris mais ne tardent pas à se précipiter sur les talons de François.

Dehors, il pleut toujours mais la tempête semble s'être un peu apaisée. François conduit la petite troupe jusqu'au mur où il s'est hissé pour voir la mer.

Les trois autres grimpent à leur tour et contemplent la mer avec curiosité. Ils ne voient d'abord que les gigantesques vagues vertes et grises qui viennent s'écraser sur les récifs et se précipitent contre l'île comme si elles voulaient l'engloutir. Annie s'accroche au bras de François.

— Tout va bien, Annie. N'aie pas peur ! hurle François pour dominer le bruit de la tempête. Regarde là-bas... Si tu fais attention, tu vas voir quelque chose d'étrange...

Quatre paires d'yeux fixent l'horizon. Soudain, Claude entrevoit quelque chose.

— Regardez ! s'écrie-t-elle. C'est bien un bateau ! Et pas un petit voilier ou un bateau de pêche !

Les quatre enfants continuent à observer la forme mouvante, et Dago se met à aboyer en l'apercevant à son tour. Le mystérieux navire tangue dangereusement. Cependant, les enfants ont l'impression que les vagues le rapprochent de l'île.

— Il va se briser sur les récifs, s'exclame François brusquement. Regardez... il pique droit sur les rochers !

Il a à peine fini de parler que le bateau, avec un craquement sinistre, va se fracasser sur les roches qui protègent l'île au sud-ouest.

— Là au moins, il ne bougera plus, dit Claude. La marée ne va pas tarder à redescendre, et la coque va sans doute rester calée sur les rochers.

Tous continuent à regarder le bateau échoué. Soudain, un rayon de soleil tombe en plein dessus et l'éclaire.

— Je n'ai jamais vu aucun navire de ce genre, dit François

Claude regarde le bateau naufragé d'un air intrigué. Soudain elle se tourne vers ses cousins, l'œil brillant.

— Eh bien, qu'est-ce qu'il y a ? demande François.

— François !... C'est mon épave ! s'écrie Claude d'une voix aiguë, troublée par l'émotion. Tu ne comprends pas ce qui est arrivé ? La tempête a détaché le navire du fond de l'océan et il est remonté à la surface. Et les

65

vagues l'ont poussé sur la côte. C'est mon épave !

Très vite, les autres se rendent compte que Claude a raison. C'est bien la vieille carcasse qu'ils ont vue plus tôt au fond de la mer. Cette épave, surgie des profondeurs où elle dormait depuis si longtemps, est venue s'échouer tout près d'eux...

chapitre 7

Le retour à la Villa des Mouettes

Les enfants sont tellement surpris qu'ils restent silencieux pendant quelques instants. Ils n'arrivent pas à détacher leurs yeux de l'épave sombre, en pensant à ce qu'ils découvriront à l'intérieur. Puis, François prend le bras de Claude et le serre très fort.

— C'est incroyable, murmure-t-il.

Claude ne parle toujours pas. Mille pensées se bousculent dans sa tête. Puis elle se tourne vers son cousin.

— Je ne sais même pas si l'épave m'appartient encore maintenant qu'elle est remontée à la surface ! soupire-t-elle. En tout cas, ce bateau était la propriété de ma famille dans le passé. Personne ne s'en est beaucoup soucié quand il était au fond de l'eau... mais tu crois qu'on me le laissera maintenant qu'il est de nouveau à flot ?

— C'est simple ! Il suffit de ne rien dire à personne ! s'exclame Mick.

— Ne sois pas stupide, réplique Claude. Le premier pêcheur qui viendra dans les parages va forcément repérer l'épave et en parlera à tout le monde.

— Eh bien, alors, dépêchons-nous d'explorer ce vieux navire avant les autres ! suggère Mick. Personne n'est encore au courant... On pourra monter à bord dès que la marée sera basse.

— Ne te fais pas d'illusions, répond Claude. On ne peut pas atteindre l'épave à pied. On pourra sûrement l'approcher assez facilement avec notre canot mais en ce moment, c'est très risqué : la mer est trop agitée.

— Alors, il vaut mieux revenir ici demain matin de bonne heure, préconise François. D'ici là personne ne viendra rôder par ici. Si nous sommes les premiers à monter à bord, je suis sûr que nous découvrirons ce qu'il y a à découvrir !

— Oui, c'est possible, acquiesce Claude. Les plongeurs ont visité l'épave aussi bien qu'ils l'ont pu, mais ça ne doit pas être évident de faire de telles recherches au fin fond de la mer.

Ils ont peut-être oublié quelque chose... J'ai l'impression d'être en plein rêve. Je n'arrive pas à croire que ma vieille épave soit remontée à la surface !

À présent, le soleil est revenu pour de bon et les vêtements mouillés des enfants commencent à sécher. Une légère vapeur se dégage des pull-overs et des jeans... et même des poils du pauvre Dago.

Les quatre enfants reprennent bientôt la visite de l'île. L'île de Kernach n'est pas grande, mais il y a plein de choses à voir, entre la côte rocheuse, le port abrité, le château en ruine, la tribu des choucas et les lapins sauvages qui gambadent de tous côtés.

— J'adore cet endroit, confie Annie à sa cousine. Dès qu'on tourne la tête, on aperçoit la mer. Je n'ai jamais rien vu d'aussi beau !

En écoutant Annie, Claude éprouve une joie profonde. Pour la première fois, elle commence à comprendre qu'on est bien plus heureux quand on partage son plaisir avec d'autres personnes.

— Il vaut mieux attendre encore un peu que les vagues se calment, conseille-t-elle, et après on pourra rentrer à la maison. Je crois qu'il va se remettre à pleuvoir. Il ne faut pas compter être là-bas pour l'heure du goûter : il va falloir ramer contre la marée !

Après toutes leurs aventures de la matinée, les quatre enfants commencent à être fatigués. Ils ne parlent pas beaucoup pendant le trajet du retour. Chacun à tour de rôle prend les avirons, sauf Annie qui n'a pas assez de force. De temps à autre, tout en s'éloignant de l'île, ils se retournent pour jeter un coup d'œil en arrière. D'où ils se trouvent à présent, ils ne peuvent plus voir l'épave, immobilisée sur la côte ouest, face au large.

— Heureusement qu'elle est de ce côté-là, déclare François. Comme ça personne ne peut la voir de la terre. Et on reviendra l'explorer demain très tôt, avant que les pêcheurs ne prennent la mer. Je suggère qu'on se lève dès l'aube.

— Parfait, acquiesce Claude. Mais est-ce que vous aurez la force de vous extirper de vos lits ? Moi, je sors parfois très tôt le matin, mais je n'ai pas l'impression que ce soit dans vos habitudes...

— Bien sûr qu'on se réveillera à l'heure, répond François. Ah, enfin ! On est presque arrivés. Je suis bien content ! Je ne sens plus mes bras à force de ramer. Et puis j'ai une faim de loup !

— Ouah ! aboie Dago, qui partage ce point de vue.

— Il faut que je ramène Dag à Jean-Jacques, déclare Claude en sautant hors du canot. Tirez le bateau sur la plage. Je vous rejoins dans quelques minutes.

Un peu plus tard les quatre enfants se trouvent réunis à la table du goûter. Tante Cécile leur a distribué de grands bols de chocolat fumant qu'ils dégustent avec des tartines beurrées et un énorme gâteau préparé tout spécialement pour eux.

— Vous avez passé une bonne journée ? demande tante Cécile.

— Oh ! oui, répond Annie vivement. Il y a eu une tempête magnifique, et nous avons vu s'écraser sur les rochers...

François et Mick lui donnent en même temps un coup de pied sous la table. Claude essaie bien d'en faire autant de son côté mais elle est trop loin d'Annie pour l'atteindre. Celle-ci jette un regard furieux à ses frères et des larmes lui montent aux yeux.

— Qu'est-ce qui se passe encore ? s'inquiète tante Cécile. Quelqu'un t'a donné un coup de pied, Annie ? Ça suffit, les enfants, Annie va être couverte de bleus ! Qu'est-ce que tu as vu s'écraser sur les rochers, ma chérie ?

— Des vagues hautes comme des maisons, explique Annie en jetant un regard de défi aux autres. Ses frères et sa cousine ont eu peur qu'elle parle de l'épave de Claude, alors qu'elle n'en a jamais eu l'intention.

— Je suis désolé de t'avoir fait mal, s'excuse François. Mon pied a glissé.

— Le mien aussi, ajoute Mick. Oui, tante Cécile, nous avons vu une énorme tempête sur l'île. Les vagues étaient tellement grosses qu'elles ont envahi le port en un rien de temps. Nous avons été obligés de tirer le canot jusqu'en haut de la falaise pour le mettre à l'abri.

Les enfants vont jouer dans le salon contigu à la salle à manger. François saisit une table et la retourne avec fracas.

— On va jouer aux épaves ! annonce-t-il. Cette table est un bateau naufragé et on va l'explorer.

La porte s'ouvre brusquement derrière lui, et le père de Claude apparaît, visiblement furieux.

— Qu'est-ce que c'est que tout ce bruit ? demande l'oncle Henri. Claude ! C'est toi qui as retourné ce meuble ?

— Non, oncle Henri. C'est moi ! avoue François avec franchise. J'avais oublié que tu travaillais.

— Si vous continuez comme ça, vous allez

passer toute la journée de demain dans vos chambres ! fulmine l'oncle Henri. Claudine ! Tu as intérêt à conseiller à tes cousins de se tenir tranquilles !

La porte se referme sur M. Dorsel. Les enfants échangent des regards sidérés.

— Ton père est très sévère ! constate François. Je suis désolé d'avoir fait tant de bruit. Ça m'apprendra !

— Il vaut mieux trouver un jeu plus calme, recommande Claude, sinon on va vraiment être obligés de rester enfermés au lieu de visiter l'épave.

Cette perspective n'enchante pas du tout les enfants. Silencieusement, Annie va chercher une de ses poupées et se met à jouer.

François, de son côté, prend un livre. Claude essaie de confectionner un petit bateau avec un morceau de bois. Mick, pour sa part, se contente de s'étaler dans un fauteuil en songeant à leur expédition du lendemain.

Dehors, la pluie tombe sans arrêt, et les quatre enfants espèrent qu'elle cessera avant le matin.

— Il faudra se lever très tôt demain matin, rappelle Mick en bâillant. Je propose qu'on se couche tôt ce soir. Je suis fatigué d'avoir tenu les avirons si longtemps.

D'ordinaire, les enfants n'aiment pas aller au lit de bonne heure. Mais ce soir-là, la perspective d'explorer l'épave les incite à changer leurs habitudes. Il faut être en pleine forme pour la grande aventure.

Et en effet, à huit heures, tous les quatre sont au lit, ce qui étonne beaucoup tante Cécile.

À peine Annie est-elle blottie dans ses draps qu'elle s'endort. François et Mick ne sont pas non plus longs à trouver le sommeil. Mais, contrairement à ses cousins, Claude reste éveillée assez longtemps. Elle pense à son île, à son épave et, bien sûr, à son cher Dago.

« J'emmènerai Dago avec nous, songe-t-elle avant de s'endormir. On ne peut pas le laisser en arrière. Lui aussi participera à l'aventure ! »

chapitre 8

Exploration de l'épave

François se réveille le premier le lendemain matin. Il appelle son frère tout bas :

— Mick ! Debout ! C'est l'heure d'aller visiter l'épave ! Réveille-toi !

Mick ouvre à son tour les yeux et sourit à son frère. D'un bond, il saute de son lit et court à la chambre des filles. Les deux cousines dorment encore et Mick les secoue pour les réveiller.

— Levez-vous vite ! chuchote Mick. Il fait déjà jour.

Les yeux de Claude brillent tandis qu'elle s'habille. Annie, de son côté, se dépêche de passer un maillot de bain, un short et un pull-over et enfile une paire de sandales en caoutchouc. En quelques minutes, tout le monde est prêt.

— Ne faites pas craquer les marches en descendant l'escalier, recommande François.

Au bas de l'escalier, il faut encore ouvrir la porte. François parvient à la refermer sans faire de bruit avant de rejoindre les autres, qui se hâtent déjà le long de l'allée. Pour éviter de faire grincer le portail du jardin, les enfants préfèrent passer par-dessus.

Au petit jour, les nuages sont encore roses dans le ciel, et la mer semble calme. On a du mal à croire qu'une horrible tempête l'a bouleversée la veille.

Claude met son canot à flot. Puis elle va chercher Dago pendant que les garçons préparent les avirons. Jean-Jacques est très surpris de voir arriver Claude d'aussi bonne heure mais il l'accueille avec un grand sourire.

— Vous allez faire une promenade ? lui demande-t-il. Quelle tempête hier ! À un moment, j'ai cru que vous étiez en plein dedans !

— Eh bien, tu avais raison ! répond Claude. Allez, viens, Dag ! Dépêche-toi !

Dago est ravi de se retrouver auprès de sa maîtresse à une heure aussi matinale. Pour manifester sa joie, il bondit à ses côtés, tandis qu'elle court rejoindre ses cousins.

Les enfants mettent le cap droit sur l'île.

Ramer est un plaisir tant les eaux de la baie de Kernach sont calmes. Ils contournent l'île pour l'aborder du côté du large.

L'épave apparaît enfin. Elle est tout à fait immobile à présent, même quand les vagues passent sous sa coque. Elle est légèrement couchée sur le flanc. Le mât brisé, dont la tempête a encore emporté un bout, se dresse comme un signal de détresse.

Claude connaît parfaitement la côte de sa petite île, ses pièges, et aussi le moyen d'échapper à ses dangers. Elle manie habilement les avirons et réussit à s'approcher tout près de la grosse épave.

De leur canot, les enfants lèvent les yeux pour contempler le vieux navire. Il est beaucoup plus grand qu'ils ne l'avaient cru lorsqu'ils le voyaient au fond de la mer. Sa coque est incrustée de coquillages et tapissée d'algues brunes et vertes. Sur les flancs de l'épave, on voit de larges entailles provoquées par les chocs de la veille. Le pont aussi est fissuré de tous côtés.

En s'approchant de l'épave, Claude regarde autour d'elle.

— Nous allons amarrer notre canot à l'épave elle-même, décide-t-elle. Après, on pourra facilement monter sur le pont en escaladant la coque. Mick !... Essaie d'envoyer le nœud coulant autour du morceau de bois qui dépasse là-haut.

Mick exécute la manœuvre sans problème. Le filin se raidit et le bout de bois tient bon.

Bientôt les quatre enfants se trouvent réunis sur le pont incliné. Les herbes marines le rendent glissant et l'odeur qui s'en dégage est très forte ; elle ne plaît pas du tout à Annie.

— Ici, c'était le pont, murmure Claude. Et ça, ça doit être l'écoutille par où les hommes de l'équipage passaient pour aller d'un endroit à l'autre.

De la main, elle désigne une ouverture. Derrière, on distingue les vestiges d'une échelle de fer. Les quatre enfants se penchent au-dessus. Du regard, ils s'efforcent de percer l'obscurité.

— Je crois que cette échelle est encore assez solide pour nous porter, dit Claude. Je vais descendre la première. Vous avez une lampe électrique ? Qu'est-ce qu'il fait sombre là-dedans !

François tend sa lampe de poche à sa cousine. Les enfants sont silencieux. Ils se demandent tous ce qu'ils vont bien pouvoir trouver à l'intérieur de l'épave.

Claude allume la lampe et s'engage hardiment dans l'écoutille. Les autres la suivent.

Un spectacle étonnant apparaît à la lumière

de la petite lampe. Le plafond du bateau, en chêne épais, est très bas. Les enfants doivent avancer en baissant la tête le long de ce qui devait être une coursive. À droite et à gauche, ils devinent l'emplacement des anciennes cabines, mais c'est à peu près tout ce qu'ils arrivent à distinguer.

Les jeunes explorateurs – comme ils se surnomment eux-mêmes ! – glissent souvent sur le plancher humide. Malgré tout, ils poursuivent leur inspection. Sous les cabines, ils découvrent une grande cale qu'ils visitent à la lueur de la torche.

— Les lingots d'or devaient être entassés ici, je pense, dit François.

Mais, malheureusement, le trésor a disparu et les enfants ne trouvent rien d'autre que de l'eau et des poissons.

Ils ne perdent pourtant pas espoir et fouillent du regard les moindres recoins, souhaitant avec ardeur découvrir les fameux coffrets d'or dont Claude leur a tant parlé. Mais ils ne trouvent pas la plus petite boîte, même vide.

Ils arrivent enfin à une cabine plus vaste que les précédentes.

— Ça devait être la cabine du capitaine, suppose François. C'est la plus grande de toutes. Tiens, qu'est-ce qu'il y a dans ce coin ?

79

— Une vieille tasse, répond Annie en prenant l'objet. Et la moitié d'une soucoupe. Le capitaine devait être en train de boire une tasse de café quand la catastrophe est arrivée.

À l'évocation du naufrage, un vague malaise s'empare des enfants. Claude elle-même commence à se dire que l'épave était mieux au fond de la mer qu'à la surface.

— Allons-nous-en ! murmure-t-elle. Cet endroit ne me rassure pas.

Les quatre enfants commencent à rebrousser chemin mais, avant de quitter la pièce, François regarde une dernière fois la petite cabine à la lueur de sa torche. Il aperçoit soudain quelque chose qui le fait s'arrêter net. Il s'approche pour mieux voir, puis rappelle ses compagnons.

— Hé ! Attendez un peu ! Il y a un placard dans le mur. Il y a peut-être quelque chose d'intéressant à l'intérieur !

Les autres reviennent sur leurs pas en courant et regardent à leur tour : il y a quelque chose qui ressemble à une petite armoire encastrée dans l'épaisseur du mur de bois.

— Allez ! Il faut trouver quelque chose pour l'ouvrir..., déclare François.

Il s'efforce de débloquer la porte du placard

avec les doigts mais il ne parvient même pas à l'ébranler.

— La serrure doit être rouillée ! constate Claude en essayant à son tour d'ouvrir la porte sans plus de succès que son cousin.

Alors elle prend dans sa poche un gros couteau de marin et elle introduit la lame dans la fente de la porte. Elle force un instant et, brusquement, la serrure cède et le battant s'ouvre tout grand. François éclaire l'intérieur du placard et les enfants aperçoivent une petite étagère sur laquelle est posé un objet intrigant.

C'est un coffret de bois, gonflé par l'eau de mer. À côté se trouvent deux ou trois vieux livres très abîmés, et aussi quelques instruments de marine difficiles à identifier.

— Pas très intéressant tout ça... à part le coffret, observe François.

François et Claude unissent leurs forces pour tenter de faire sauter la serrure du vieux coffre. Le couvercle est sculpté et porte les lettres H. K.

— Ça doit être les initiales du capitaine, suggère Mick.

— Non ! Ce sont les initiales de mon arrière-arrière-grand-père ! explique Claude. Maman m'a souvent parlé de lui. Il s'appelait Henri de Kernach et ce bateau était à lui. Ce coffret

81

devait lui servir de coffre-fort particulier. Oh ! qu'est-ce que j'aimerais réussir à l'ouvrir !

Mais il est impossible de venir à bout de la serrure avec l'aide du seul couteau de Claude. Les enfants finissent par y renoncer et François met le coffret sous son bras pour l'emporter.

Les quatre enfants ont l'impression d'avoir un objet très précieux entre les mains. Vont-ils trouver quelque chose à l'intérieur du coffret ? Ils ont hâte d'être de retour à la maison pour avoir la clef de l'énigme.

Ils remontent sur le pont. Là, ils s'aperçoivent que d'autres personnes viennent de découvrir l'épave.

— Oh non ! On dirait que tous les bateaux de pêche de la baie de Kernach se sont donné rendez-vous ici ! s'exclame François.

Les pêcheurs contemplent le vieux navire avec stupéfaction. Quand ils voient les quatre cousins sur le pont, ils les hèlent en criant.

— Hé ! Les enfants ! Qu'est-ce que c'est que ce bateau ?

— C'est la vieille épave ! rugit François dans ses mains en porte-voix. Elle est remontée à la surface pendant la tempête d'hier.

— Ne dis rien de plus, ordonne Claude. C'est *mon* épave. Je ne veux pas que des curieux viennent fouiner à bord.

François se tait et les quatre enfants regagnent leur canot. Ils rament avec entrain pour rentrer à la villa le plus rapidement possible. L'heure du petit déjeuner est déjà passée. Peut-être va-t-on les gronder ?...

Effectivement, de retour à la *Villa des Mouettes*, les enfants se font réprimander. Et ils doivent se contenter de chocolat au lait et de simples tartines de beurre, sans confiture, car l'oncle Henri estime que des enfants qui arrivent si tard à table ne doivent pas avoir grand-faim. Le petit déjeuner est plutôt morne.

Avant de rentrer, Claude a ramené Dago à Jean-Jacques ou, plus exactement, elle a rattaché le chien dans la cour du jeune pêcheur. Celui-ci n'est pas encore rentré de sa matinée de pêche, au cours de laquelle il a pu, avec son père, admirer l'épave.

Que penserait Claude si elle pouvait voir Jean-Jacques au même instant ? Le jeune pêcheur est avec son père, à qui il propose soudain :

— J'ai une idée ! On pourrait gagner de l'argent en amenant ici les touristes qui voudront voir ce vieux navire. Qu'est-ce que tu en penses ?

Avant la fin de la journée, des douzaines de

83

curieux ont pris place dans de petits canots à moteur mis à leur disposition par les pêcheurs, pour aller admirer le bateau.

chapitre 9

Le secret
du vieux coffre

Dès que les enfants ont terminé leur petit déjeuner, ils vont chercher leur précieux coffret, que François a pris soin de cacher sous son lit, et l'emportent au fond du jardin, où se trouve la cabane à outils.

François regarde autour de lui, à la recherche d'un instrument approprié. Il trouve une paire de gros ciseaux qui devraient permettre de forcer l'ouverture de la boîte. Sa tentative est un échec : les ciseaux glissent et il se fait mal aux doigts. Les quatre compagnons sont exaspérés.

— J'ai une idée, déclare finalement Annie. Il faudrait monter le coffret tout en haut de la maison et le laisser tomber dans le jardin. Il devrait s'ouvrir sous le choc.

— Ça vaut le coup d'essayer, reconnaît François.

85

Il transporte la petite boîte jusqu'à la mansarde qui s'ouvre juste sous le toit. Il se penche à la fenêtre et jette la boîte de toutes ses forces. L'objet atterrit avec un vacarme épouvantable sur les dalles, juste devant la porte d'entrée. Celle-ci s'ouvre immédiatement et l'oncle Henri en jaillit comme un boulet de canon.

— Qu'est-ce que vous êtes encore en train de faire ? s'écrie-t-il. J'espère que vous n'êtes pas assez stupides pour lancer des objets depuis le grenier ! Mais qu'est-ce que c'est que ça, sur le sol ?

Les enfants regardent le coffret. Le bois a volé en éclats, dégageant un second coffre, de métal cette fois-ci et sans doute étanche.

Mick se précipite pour le ramasser.

— Je vous ai demandé ce que c'était que cet objet ! crie l'oncle Henri en s'avançant vers Mick.

— C'est... quelque chose qui nous appartient ! répond Mick en rougissant.

— Eh bien, je vous le confisque ! Ça vous apprendra à me déranger ! Donne-moi cette boîte. Où est-ce que vous l'avez dénichée ? aboie l'oncle Henri en foudroyant du regard la pauvre Annie qui se trouve le plus près de lui.

— À... à l'intérieur de l'épave ! bégaye la petite fille, épouvantée.

— À l'intérieur de l'épave ! répète M. Dorsel, visiblement surpris. Vous voulez parler de celle que la tempête a fait remonter hier ? Oui, j'ai appris ça... Vous voulez dire que vous l'avez explorée ?

— Oui, avoue Mick.

François vient de rejoindre ses amis. L'intervention de l'oncle Henri l'inquiète.

— Il y a peut-être quelque chose d'important dans cette boîte, déclare le père de Claude.

Tout en disant cela, il prend l'objet des mains de Mick.

— Vous n'aviez pas le droit de fouiller dans cette épave et encore moins d'y prendre quoi que ce soit.

— Mais cette épave est à moi, rien qu'à moi ! s'écrie Claude sur un ton de défi. S'il te plaît, papa, rends-nous le coffret. Nous venons tout juste de faire sauter la partie en bois. À l'intérieur, il y a peut-être... une barre d'or... ou un trésor !

— Une barre d'or ! répète M. Dorsel en haussant les épaules. N'importe quoi ! Comment veux-tu qu'une chose pareille tienne dans une boîte si petite. Au mieux, tu trouveras un rapport sur ce qui est arrivé aux barres d'or. À mon avis, le trésor que le vieux navire transportait a été remis à son destinataire à l'époque.

J'ai toujours pensé qu'il n'y avait plus rien à l'intérieur du bateau quand il a sombré.

— Oh ! papa, s'il te plaît, supplie de nouveau Claude. Rends-nous le coffret !

Des sanglots font trembler sa voix. Tout à coup, elle est sûre que la boîte contient des papiers qui pourront leur apprendre ce que le trésor est devenu. Mais, sans un mot, M. Dorsel tourne les talons et disparaît dans la maison, emportant le coffret sous son bras.

Annie fond en larmes.

— Ne me grondez pas ! Je ne voulais pas dire que nous avions découvert le coffret à l'intérieur de l'épave ! Excusez-moi ! Mais j'ai eu tellement peur d'oncle Henri !

— Ça va, bébé ! C'est pas la peine de pleurer ! dit François.

Il trouve l'attitude de son oncle très injuste..

— Écoutez, murmure-t-il au bout d'un moment, il faut absolument récupérer cette boîte d'une manière ou d'une autre. Je suis certain que, dans le fond, ton père s'en moque bien, Claude. Dès que je pourrai, j'irai dans son bureau pour prendre le coffret. Tant pis pour moi si je suis pris.

— Entendu ! dit Claude. Nous allons tous guetter papa. Il finira bien par sortir !

À tour de rôle donc, ils se mettent à surveiller la porte du bureau de M. Dorsel, mais celui-ci ne quitte pas la pièce de toute la matinée.

Lorsque Claude vient prendre la relève de Mick, il lui demande :

— Ton père ne sort jamais ? Il passe sa vie enfermé !

— C'est le cas de tous les scientifiques, assure Claude. Mais papa a une petite faiblesse : il lui arrive parfois de faire une petite sieste pendant l'après-midi !

L'après-midi, c'est François qui prend le premier tour. Il s'assied sous un arbre et ouvre un livre. Quelques minutes plus tard, un bruit inhabituel attire son attention.

« Oncle Henri est en train de ronfler ! » se dit-il en jubilant.

Il se dirige sur la pointe des pieds jusqu'à la porte-fenêtre du bureau et regarde à l'intérieur. La porte-fenêtre est entrebâillée. Le jeune garçon l'ouvre un peu plus. Il aperçoit son oncle, endormi dans un confortable fauteuil, les yeux clos et la bouche ouverte. Chaque fois qu'il respire, un ronflement lui échappe.

— Il a l'air de dormir comme un loir, réfléchit François. C'est le moment d'agir. Allez, j'y vais. S'il me voit, je vais prendre une punition terrible mais le jeu en vaut la chandelle ! »

89

Il se glisse dans le bureau à pas de loup et s'avance jusqu'à la petite table à côté du fauteuil de son oncle. Il allonge la main et s'empare du coffret... Puis, avec mille précautions, il sort par la porte-fenêtre et se retrouve dans le jardin dont il descend l'allée en courant. Il ne songe même pas à dissimuler le coffret dans son pull-over. Une seule chose compte pour lui : rejoindre les autres pour leur raconter son exploit.

Très vite il atteint la plage où Claude, Annie et Mick sont allongés au soleil.

— Ça y est ! leur crie-t-il. Ça y est ! Je l'ai !

Les trois enfants se redressent et leurs yeux étincellent en apercevant le précieux coffret dans les bras de François.

— Ton père dort, explique François à Claude, et j'en ai profité pour entrer dans son bureau !

— C'est pas vrai ! s'écrie Claude, sidérée. Maintenant, regardons vite ce qu'il y a à l'intérieur ! À mon avis, papa n'a même pas eu la curiosité d'y jeter un coup d'œil !

Claude ne s'est pas trompée. La petite boîte métallique est intacte, et le couvercle est toujours solidement ajusté. Sans hésiter, la fillette sort son couteau et se met à travailler la fente presque invisible. Petit à petit, le couvercle commence à lâcher et, au bout d'une dizaine de minutes, Claude en vient à bout.

Impatients, les enfants se penchent sur le coffret. À l'intérieur il y a de vieux papiers et un livre relié en cuir noir... ! Pas la moindre barre d'or ! Pas le plus petit trésor !

— Tous ces objets sont bien secs ! fait remarquer François. Ils ont été protégés par la boîte en métal.

Il ouvre le livre.

— C'est un journal de bord ! s'écrie-t-il avec enthousiasme. C'est là-dedans que ton arrière-arrière-grand-père devait noter le compte-rendu de ses voyages, Claude !

Celle-ci s'empare à son tour d'un des papiers. C'est en fait un épais parchemin, jauni par le temps. Claude l'étend sur le sable et commence à l'étudier de près. On dirait une sorte de carte.

— C'est peut-être la carte qui indiquait où le bateau devait se rendre, suggère Mick.

Soudain, les mains de Claude se mettent à trembler.

— Qu'est-ce qu'il y a ? demande Annie. Tu as découvert quelque chose ? Dis-nous vite !

Claude se met à parler très vite.

— Vous voyez ce que c'est ? C'est un plan du château de Kernach à l'époque où il était intact. Ici, on voit l'emplacement des oubliettes ! Et regardez ce qui est écrit au coin de ce cachot !

De son doigt tremblant, elle indique un point sur l'étrange carte. Les autres se penchent pour déchiffrer un mot curieux, tracé en lettres démodées : LINGOTS.

— Des lingots ! s'exclame Mick. Mais ce doit être... les fameuses barres d'or !

— Mais oui, renchérit François, les lingots peuvent être des barres de n'importe quel métal. Mais ici, on est sûr que ce sont des lingots d'or ! Vous vous rendez compte ? Le trésor est peut-être encore caché quelque part dans le sous-sol du château de Kernach ! Les recherches risquent d'être difficiles, vu que le château est en ruine et qu'il est envahi par les ronces et les mauvaises herbes. Mais je suis sûr qu'on finira par trouver ces lingots. En atten- dant, que faisons-nous de ce coffret ? Oncle Henri va forcément s'apercevoir qu'il a disparu, non ? Il faut peut-être le remettre où je l'ai pris.

— D'accord ! répond Mick. Mais je pense qu'il faudrait garder le plan du château. Oncle Henri ne sait pas qu'il était à l'intérieur puis- qu'il n'a pas ouvert cette boîte. On peut y remettre le vieux livre de bord et les lettres. Ils n'ont pas beaucoup d'importance.

— J'ai une autre idée ! suggère François. On pourrait copier la carte et remettre le parchemin original à sa place. Comme ça, nous n'aurons rien à nous reprocher.

Les autres approuvent cette idée. Puis les quatre enfants rentrent à la *Villa des Mouettes* pour y recopier avec soin le plan du château de Kernach. L'opération se déroule dans la cabane à outils, loin des regards indiscrets.

La carte comporte trois parties.

— Cette partie représente les caves et les oubliettes, au-dessous du château, explique François. Ici, c'est le plan du rez-de-chaussée. Et là, c'est la partie supérieure. Les cachots occupent tout le sous-sol du château. Mais je ne vois pas du tout comment on faisait pour y descendre !

— Il faudra étudier le plan d'un peu plus près, dit Claude. À première vue, cette carte a l'air assez embrouillée, mais elle nous paraîtra sûrement plus claire quand on la consultera sur place, au château de Kernach. On comprendra certainement comment accéder aux souterrains. C'est super ! Je parie que peu d'enfants ont la chance de vivre une telle aventure !

François range avec soin la copie du plan dans la poche de son short. Il a bien l'intention de la garder sur lui quoi qu'il arrive. Ce

93

papier est trop précieux ! Après avoir remis le parchemin original dans le coffret, il jette un coup d'œil en direction de la villa.

— Et maintenant, il faut aller rapporter le coffret ! dit-il.

À l'heure du goûter, M. Dorsel rejoint sa famille réunie dans la salle à manger. François saute sur l'occasion... Murmurant une vague excuse, il se lève de table et va remettre le coffret sur la petite table du bureau de son oncle.

En regagnant sa place, il fait un clin d'œil aux autres enfants pour leur signaler que tout va bien. Tous se sentent soulagés.

Tout le monde est encore à table lorsque le téléphone sonne. Tante Cécile se lève pour répondre.

— C'est pour toi, Henri ! dit-elle à son mari en revenant. C'est un journaliste parisien : il voudrait te poser quelques questions. Apparemment, la vieille épave suscite une grande curiosité. Plusieurs journalistes sont déjà sur les lieux.

— Dis-leur que je les recevrai tous à six heures ! répond oncle Henri.

Sérieusement alarmés, les enfants échangent des regards inquiets.

Tout de suite après le goûter, François entraîne les trois autres.

— Heureusement que nous avons pensé à recopier le plan du château ! s'écrie-t-il. N'empêche que je regrette d'avoir remis le parchemin original dans la boîte. Maintenant, le secret des lingots peut être découvert à tout moment !

chapitre 10

Un mystérieux acheteur

Le lendemain matin, les journaux parlent tous de l'extraordinaire surgissement de la vieille épave. Les journalistes n'ont eu aucune difficulté à se faire raconter par M. Dorsel l'histoire du vieux bateau et de sa cargaison d'or disparue.

Claude est furieuse.

— C'est *mon* épave ! crie-t-elle. C'est *mon* château ! Et c'est *mon* île ! Tu m'as toujours dit qu'ils m'appartenaient.

— Je sais, répond sa mère. Mais personne n'abîme ton île en y abordant et je ne vois pas où est le mal à prendre ton château en photo.

— Mais je ne veux pas qu'on mette les pieds dans mon domaine ! Tu me l'as donné !

— À l'époque, je ne pouvais pas deviner ce

97

qui allait se passer. Allez, calme-toi un peu, Claude ! Qu'est-ce que ça peut te faire si les gens vont jeter un coup d'œil à l'épave ? Tu ne peux pas les en empêcher.

Les enfants sont tout de même très étonnés de voir à quel point l'épave intéresse les visiteurs. Du coup, le château de Kernach, lui aussi, prend de l'importance aux yeux du public. Des touristes viennent exprès pour le contempler. Les pêcheurs de l'endroit n'ont pas tardé à découvrir le petit port de l'île et y débarquent les visiteurs par dizaines. Claude sanglote de rage et François fait de son mieux pour la consoler.

— Écoute ! Personne ne connaît notre secret. Dès que cette agitation sera retombée, on pourra retourner au château de Kernach et trouver les lingots. Personne d'autre que nous n'a regardé à l'intérieur du coffret ! Je vais tenter ma chance de nouveau et essayer de reprendre le parchemin avant que quelqu'un ne mette la main dessus.

Malheureusement, le jeune garçon n'a pas le temps de mettre son projet à exécution...

— Je viens de conclure une bonne affaire ! annonce M. Dorsel à sa femme le lendemain matin. Tu sais... cette vieille boîte en étain que les enfants ont trouvée dans l'épave ? Eh bien, un antiquaire est venu me voir et je la lui ai vendue un bon prix. C'est même lui qui m'a proposé la somme ! Je ne m'attendais pas à un montant pareil, d'ailleurs... Dès qu'il a vu le vieux parchemin et le livre de bord, il a insisté pour acheter l'ensemble tout de suite !

Les enfants regardent leur oncle d'un air horrifié. L'histoire de la cargaison d'or disparue a été imprimée dans tous les journaux, et c'est donc maintenant facile de comprendre ce que représente le plan ! Ni Claude ni ses cousins n'osent cependant révéler ce qu'ils savent à M. Dorsel ou à tante Cécile, mais, une fois seuls, ils discutent de l'affaire avec animation. La chose devient sérieuse.

— Écoutez ! dit François. On va demander à tante Cécile la permission d'aller passer un ou deux jours sur l'île... On pourra camper et ça nous donnera un peu de temps pour fouiller le navire. Maintenant que la première surprise est passée, il y a de moins en moins de visiteurs là-bas. On arrivera peut-être à mettre la main sur les lingots avant que quelqu'un d'autre ne découvre ce secret. Et puis, l'antiquaire qui a acheté le coffret ne va pas forcément deviner ce que signifie le plan dessiné sur le parchemin. Le nom du château de Kernach n'est pas inscrit dessus.

Le petit discours de François réconforte un peu les enfants.

Ils décident donc de demander à leur tante, dès le jour suivant, l'autorisation d'aller passer le week-end au château.

Quand ils vont voir tante Cécile pour lui parler de leurs projets, oncle Henri est avec elle. Il sourit et donne même une petite tape amicale à François.

— Alors, les enfants ! s'écrie-t-il gaiement. Je me doute que vous avez quelque chose à me demander.

— En fait, nous venons demander une faveur à tante Cécile, répond François poliment. Tante Cécile, il fait si beau... Est-ce que nous pouvons aller passer le week-end au château de Kernach ? Nous aimerions beaucoup camper un jour ou deux sur l'île !

— Qu'est-ce que tu en penses, Henri ? s'enquiert Mme Dorsel.

— Pourquoi pas ! répond l'oncle Henri. Bientôt, ils n'en auront plus l'occasion !... Les enfants, il faut que je vous dise quelque chose. On vient de me faire une offre très intéressante pour le château de Kernach. Quelqu'un veut

100

acheter l'île pour transformer le château en hôtel.

Les quatre enfants restent bouche bée. Quelqu'un va acheter l'île ! Le secret a-t-il été découvert ? L'acheteur a-t-il déchiffré la carte et compris où se trouve le trésor ?

Claude devient très pâle. Elle foudroie ses parents des yeux.

— Maman ! Tu ne peux pas vendre mon île ! Tu ne peux pas vendre mon château ! Tu n'as pas le droit.

M. Dorsel fronce les sourcils.

— Ne fais pas l'idiote, Claudine ! ordonne-t-il sèchement. Tu sais bien que tout cela n'est pas vraiment à toi. L'île et le château appartiennent à ta mère et elle peut très bien les vendre si elle en a envie. Nous ne sommes pas riches et une grosse rentrée d'argent nous ferait le plus grand bien. Grâce à cet argent, je pourrai vous offrir plein de belles choses !

— Je ne veux rien ! s'écrie la pauvre Claude. Rien n'est plus précieux que mon château et mon île. Oh ! maman ! Tu sais bien ce que tu m'as dit...

— Ça suffit maintenant, Claudine, l'interrompt son père, irrité. Quand ta mère t'a donné l'île et le château, c'était juste pour te faire plai-

101

sir. Tu sais bien que vous avons besoin d'argent.

— Je me moque pas mal de cet argent ! réplique Claude.

Là-dessus la fillette tourne les talons et sort de la pièce d'un pas mal assuré. Ses cousins sont désolés pour elle, même s'ils se rendent bien compte que ça ne sert à rien d'affronter l'oncle Henri et tante Cécile : après tout, ils ont le droit de faire comme bon leur semble.

Mais ce que l'oncle Henri ignore, c'est qu'il y a peut-être une fortune enfouie dans le sous-sol du vieux château. François se demande s'il doit avertir son oncle ou non. Finalement, il préfère se taire. Après tout, il reste encore une chance pour que les enfants soient les premiers à découvrir le trésor !

— Quand comptes-tu vendre l'île, oncle Henri ? demande-t-il.

— Les papiers seront signés d'ici à une semaine, répond l'oncle Henri. Alors, si vous avez envie d'aller passer un jour ou deux là-bas, il n'y a pas une minute à perdre.

— La personne qui veut acheter le château, ce ne serait pas l'antiquaire à qui tu as vendu le coffret ? demande François.

— Si, répond son oncle. J'ai été un peu surpris, car je croyais qu'il ne s'intéressait qu'aux meubles anciens et aux vieux bibelots. Mais bon, il doit savoir ce qu'il fait !

« Il le sait même très bien ! pense François, tout en quittant la pièce avec Mick et Annie. Cet homme a sans doute déchiffré la carte... et il est arrivé aux mêmes conclusions que nous. Maintenant, il doit être sûr qu'il y a des lingots d'or cachés sur l'île et il va certainement essayer de mettre la main dessus. Cette histoire d'hôtel n'est qu'un prétexte. Il a dû offrir à l'oncle Henri une somme ridicule ! Et lui qui pense faire une affaire ! »

François se dépêche d'aller rejoindre Claude. Il la trouve dans la cabane à outils. Elle lui avoue qu'elle ne se sent pas très bien.

— Tous ces événements t'ont bouleversée, murmure François d'un ton réconfortant.

Il lui passe un bras autour des épaules et, pour une fois, Claude ne cherche pas à le repousser.

— Écoute, Claude ! dit François. Ce n'est pas le moment d'abandonner. Demain, nous irons sur l'île de Kernach et nous ferons tout notre possible pour descendre dans les oubliettes et trouver les lingots. Nous resterons là-bas aussi longtemps qu'il le faudra. C'est d'accord ? Allez, ressaisis-toi. Il faut que tu nous aides à préparer le programme de demain.

Heureusement qu'on a pensé à faire une copie de la carte !

Claude reprend un peu courage. La perspective d'aller camper un ou deux jours sur l'île de Kernach avec ses cousins et Dago la console un peu.

— Je continue à penser que papa et maman sont injustes avec moi ! soupire-t-elle.

— Pas vraiment, si tu réfléchis bien, fait remarquer François. Après tout, s'ils ont besoin d'argent, ils ne vont pas refuser un bon prix pour quelque chose qui n'a pas beaucoup de valeur à leurs yeux. Et puis, rappelle-toi... Ton père t'a promis qu'il t'offrirait tout ce que tu voudras. Je sais bien ce que je demanderais, moi, si j'étais à ta place !

— Quoi ? murmure Claude, intéressée.

— Dago, bien sûr ! s'écrie François.

chapitre 11

Premières fouilles

Claude et François vont rejoindre Mick et Annie dans le jardin. Annie prend sa cousine par les épaules.

— Claude, je suis désolée des projets d'oncle Henri ! dit-elle avec émotion.

— Moi aussi ! renchérit Mick. Tu n'as pas de chance.

Claude fait un effort pour sourire.

— Je me suis comportée comme une fille, murmure-t-elle, toute honteuse. Mais ça m'a fait un tel choc !

François explique les projets qu'il a mis au point avec Claude.

— Nous partons demain matin pour l'île de Kernach, dit-il en conclusion. Mais d'abord, il faut faire la liste de tout ce dont on aura besoin.

Il tire de sa poche un crayon et un petit carnet.

— D'abord : de quoi manger ! s'écrie Mick.

— Il faudra des boissons aussi, recommande Claude. Il n'y a pas d'eau potable sur l'île... Avant, il y avait apparemment un puits très profond qui descendait sous le niveau de la mer, et qui apportait de l'eau douce. Mais je ne l'ai jamais trouvé.

— Nourriture, écrit François, boisson...

Puis, il ajoute solennellement :

— Bêches...

— Des bêches ? répète Annie. Pour quoi faire ?

— Pour creuser le sol quand nous chercherons l'entrée des oubliettes.

— Et des cordes ! suggère Mick. On pourrait en avoir besoin.

— Et des lampes électriques, ajoute Claude.

— Des couvertures ! dit encore Mick.

François continue à écrire.

— Il nous faudra un peu de vaisselle, surtout des gobelets, dit-il. Et aussi quelques outils. Ça peut toujours servir !

Au bout d'une demi-heure, la liste est prête. La colère de Claude commence à tomber. La présence de ses cousins agit sur elle comme un

calmant. Ils sont tellement raisonnables et opti-
mistes que leur gaieté devient contagieuse.

« Je crois que je serais plus gentille si j'avais
été moins seule, songe Claude en regardant
François glisser le papier dans sa poche. Ça fait
tellement de bien de raconter ses problèmes aux
autres. On les supporte bien mieux. Moi qui
suis toujours de mauvaise humeur et qui m'em-
porte facilement, pas étonnant que papa me
gronde tout le temps ! Maman est gentille, mais
je commence à comprendre pourquoi elle
apprécie autant mes cousins ! Quelle chance
qu'ils soient venus ! »

Tout à ses réflexions, Claude a pris un air
grave sans même s'en rendre compte. Quand
François lève la tête, il surprend le regard
immobile de sa cousine et sourit.

— Je voudrais bien savoir à quoi tu penses,
dit-il d'un ton joyeux.

— À rien d'intéressant, répond Claude en
rougissant. J'ai envie d'aller me promener avec
Dago ! Il doit se demander ce qu'il nous est
arrivé aujourd'hui.

Dago accueille les quatre enfants avec des
aboiements joyeux. On le met au courant du
programme du jour suivant et l'animal agite la
queue gaiement comme s'il comprenait parfaitement ce qu'on lui dit.

107

Le lendemain matin, les enfants ne se tiennent plus d'impatience. Ils se dépêchent de transporter à bord du canot toutes les choses qu'ils ont préparées la veille.

Tous les cinq sont déjà assez loin du rivage quand Mick demande soudain :

— Tu as bien pris la carte, François ?

— Bien sûr ! Tu penses bien que je ne pouvais pas l'oublier. Regarde !

Il tend la feuille de papier à son frère mais, juste à ce moment, une bourrasque se lève et la lui arrache des mains. La feuille tombe à l'eau, au grand désespoir des enfants.

— Vite ! Il faut ramer pour la rattraper ! s'écrie Claude.

Mais Dago est encore plus rapide qu'elle ! D'un bond il se jette à l'eau et se met à nager en direction de la carte.

Il ne tarde pas à l'attraper et à revenir vers le canot. Ses jeunes maîtres sont stupéfaits.

Les garçons hissent l'animal dans le canot et Claude prend le papier que Dago tient dans sa gueule. La précieuse feuille n'est même pas abîmée par ses crocs.

— Bravo, Dag ! Rapide et soigné, tu es le meilleur !

La carte est tout de même mouillée. François la pose à plat sur un des bancs et demande à Mick de la maintenir au soleil.

— Il ne faudrait pas qu'elle s'envole encore ! déclare-t-il.

Claude reprend les avirons et met de nouveau cap sur l'île. Dago reçoit un biscuit en récompense de son exploit et le croque avec une joie évidente.

Bientôt le bateau entre sur les eaux calmes du petit port naturel et accoste sur la plage. Les cinq amis sautent sur le sable. Ils tirent le canot aussi haut que possible, puis commencent à le décharger.

— Il faut monter toutes les provisions dans la salle du château, déclare François. Elles seront à l'abri de la pluie. J'espère bien que personne ne va venir sur l'île pendant le week-end, Claude !

— Ça m'étonnerait, répond Claude. Normalement, papa ne va signer les actes de vente que la semaine prochaine. Nous avons du temps devant nous.

— Pas la peine de monter la garde alors, dit François. Allez, on y va... Prends les bêches et les couvertures, Mick. Je me charge de la nourriture et de la boisson avec Claude. Et toi, Annie, occupe-toi des petits paquets.

Claude et François gravissent péniblement le

sentier de la falaise, chancelant presque sous le poids de la caisse de provisions. À plusieurs reprises, ils doivent s'arrêter pour reprendre haleine.

Ils parviennent enfin à la petite pièce dallée, qu'ils aménagent pour y passer la nuit.

— Les deux filles pourront dormir ensemble sur ce tas de couvertures, dit François. Nous, nous dormirons sur l'autre pile.

François s'installe sur ses couvertures et tire la carte de sa poche.

— Maintenant, dit-il, nous allons étudier ce plan et essayer de découvrir où se trouve l'entrée des cachots. C'est le moment de se creuser la cervelle !

Quatre têtes se penchent sur la carte.

— Regardez ! dit François en posant son doigt sur le plan des oubliettes. Apparemment, le souterrain s'étend sur tout le sous-sol... Et ces petits traits parallèles, ça doit être des escaliers.

— Oui, dit Claude. Je crois que tu as raison. Si ce sont vraiment des marches, il y a forcément deux ouvertures pour entrer dans les oubliettes. On dirait qu'un des escaliers part de la salle où nous sommes. Quant à l'autre, il doit se trouver sous la tour qu'on voit là-bas... Mais à votre avis, qu'est-ce que c'est que ce petit rond... là ?

Son index désigne un cercle qui figure non seulement sur le plan des oubliettes mais aussi sur celui du rez-de-chaussée du château.

— Hier, tu as dit qu'il y avait un puits quelque part, répond François. Alors je pense que ce petit rond indique où il se trouve. Il devait être très profond pour atteindre une nappe d'eau douce sous la mer... et c'est pour ça qu'il traverse les cachots. C'est génial, non ?

Les enfants sont de plus en plus excités : il y a bien quelque chose à découvrir dans ce château, et au plus vite.

— Alors ? demande Mick. Par où commence-t-on ? Il faudrait peut-être essayer de trouver l'entrée du souterrain ? À mon avis, ça doit être une grosse dalle : il suffira de la soulever et de dégager le passage qui descend aux oubliettes !

François plie la carte avec soin et la remet dans sa poche. Ensuite, il regarde autour de lui. Le sol dallé de la pièce est envahi de mauvaises herbes.

— Au travail ! lance François en prenant une bêche. Il faut enlever toutes ces herbes.

Claude, Mick et Annie prennent chacun une bêche et bientôt la petite salle résonne des

111

bruits du fer raclant la pierre pour déloger les plantes.

Imitant ses maîtres, Dago se met à gratter le sol fébrilement. Même s'il ne comprend pas vraiment l'acharnement des enfants, rien ne l'empêche de se joindre à eux vaillamment.

 # De passionnantes découvertes

Bientôt, il n'y a plus une trace de terre, de sable ou de plante parasite sur le sol et les enfants se mettent à examiner les énormes dalles carrées à la lueur de leurs torches.

— Il devrait y avoir un anneau de fer au milieu de celle que nous cherchons, qui permette de la soulever, déclare François.

Mais ils ne trouvent rien du tout. Toutes les dalles sont identiques. Quelle déception !

Mick essaie alors de glisser sa bêche dans les trous qui séparent les pierres, en appuyant sur le manche de son outil, mais aucune d'elles ne bouge. Après trois heures de travail, les enfants, affamés, se décident à reprendre des forces.

— Je crois que nous nous sommes trompés.

L'entrée du souterrain ne doit pas être dans cette pièce. Il faudrait mesurer le plan pour trouver l'endroit exact d'où part l'escalier qui conduit aux oubliettes.

Ils se mettent donc au travail mais la tâche n'est pas facile. Les trois parties du plan, qui représentent les trois étages du château, ne sont pas à la même échelle. Un peu découragé, François laisse échapper un soupir.

— Regardez ! s'écrie soudain Claude en montrant du doigt le petit cercle qui, à leur avis, indique l'emplacement du puits. Apparemment, l'entrée du souterrain est assez proche du puits. Si nous arrivons à le découvrir, il suffira de creuser tout autour pour essayer de repérer les premières marches de l'escalier. On voit le puits sur les deux cartes. Il doit se situer au milieu du château.

— Excellente idée ! juge François, ravi. Tâchons vite de trouver le centre du château. À mon avis, ça correspond au centre de la cour, dehors.

Les enfants sortent au soleil et s'arrêtent à l'endroit où se trouvait autrefois le cœur du vieux château. Mais ils ont beau regarder tout autour d'eux, ils ne parviennent pas à repérer l'ancien puits. Là encore, la nature a repris ses droits.

— Tiens ! Un lapin ! s'écrie soudain Mick.

En effet, une grosse boule de poils beiges traverse la cour sans se presser. L'animal s'enfonce dans un trou, puis un autre lapin surgit, s'assied tranquillement sur son derrière, regarde gravement les enfants avant de s'éclipser lui aussi. Les trois jeunes Gauthier n'en reviennent pas. Ils n'ont jamais vu de lapins aussi peu craintifs.

Un troisième lapin apparaît. Au grand amusement des jeunes spectateurs, il se met à exécuter une série de cabrioles. C'en est trop pour le pauvre Dago. Sans crier gare, il pousse un énorme « Ouah » et se précipite vers le lapin surpris.

Un bref instant, le petit animal reste figé sur place. Soudain, il comprend le danger et se met à fuir, sa queue minuscule dressée comme un signal de détresse, et il se glisse derrière un gros buisson, tout près des enfants. Dago se précipite derrière lui et disparaît à son tour. La terre et le sable volent, tandis que Dago gratte frénétiquement le sol pour agrandir le trou dans lequel le lapin vient de se faufiler.

— Dago ! Dago ! Tu vas m'écouter ? Viens ici tout de suite ! crie Claude.

Mais Dago n'obéit pas et il continue de creuser, de plus en plus vite. Claude se décide alors

115

à aller le chercher mais au moment où elle atteint le buisson de ronces, le grattement cesse brutalement. Puis retentit un glapissement d'épouvante. Puis plus rien... Claude regarde sous le buisson et se retourne, stupéfaite.

Dago a disparu ! Claude voit bien l'entrée du terrier de lapin, considérablement agrandie par le chien... mais aucun signe de Dago !

— Dago a disparu ! annonce Claude d'une voix tremblante. Il est pourtant bien trop gros pour s'être enfoncé dans le terrier, non ?

Les enfants se rassemblent autour du buisson de ronces. Alors, en tendant l'oreille, ils distinguent une plainte étouffée qui vient des profondeurs de la terre. François est sidéré.

— Mais il est bien dans le trou ! s'écrie-t-il. Ce n'est pas possible ! Comment allons-nous le tirer de là ?

— On va commencer par déraciner ce buisson, décrète Claude

François va chercher une hache et les enfants se mettent vigoureusement au travail. Au bout d'un bon moment, le bosquet est réduit à néant. Les mains des enfants sont dans un piteux état : les épines leur ont arraché la peau, mais ils se soucient bien peu de ces égratignures. François prend sa torche électrique et la tend à bout de bras au travers de l'ouverture.

Il lâche un cri de surprise.

— Je comprends ce qui s'est passé ! Le vieux puits est ici ! Les lapins ont creusé leur terrier juste à côté. En voulant l'élargir, Dago a trouvé le puits... et il est tombé au fond !

— Oh non ! s'affole Claude. Dag ! Dag ! Tu n'es pas blessé ?

Un glapissement lointain parvient à ses oreilles.

— Je crois qu'il n'y a qu'une seule chose à faire ! déclare François. Nous allons prendre nos bêches et essayer d'agrandir l'ouverture. Après on pourra descendre avec une corde pour tirer Dago de là.

Les enfants courent chercher leurs outils, et dégagent le puits de la terre, du sable et des racines qui l'ont recouvert. Ils se penchent pour voir le fond du trou. Celui-ci est très sombre et il semble profond. François prend une pierre et la jette dans le puits. Tous retiennent leur souffle, mais ils n'entendent pas de « plouf ». Soit il n'y a plus d'eau au fond du puits, soit le puits est trop profond pour que le bruit de la pierre soit perceptible.

François penche pour la seconde hypothèse.

— Cela dit, ajoute-t-il, si le trou est aussi profond que ça, Dago aurait dû se tuer en tombant... Et pourtant, on l'entend encore. Je me demande où il peut être !

Il enfonce sa torche électrique dans le trou... et, tout de suite, il aperçoit le chien ! Bien des années auparavant, une grosse pierre a dégringolé dans le puits, et l'a bouché en partie. Elle est restée coincée là, à l'horizontale, et c'est sur ce perchoir imprévu que Dago a atterri. Ses yeux levés vers ses jeunes maîtres expriment tout son effroi.

Claude remarque une échelle de fer fixée contre la paroi intérieure du puits. Elle enjambe le rebord effondré et descend les échelons rouillés. Grâce à la corde que Mick lui lance, elle réussit à remonter Dago à l'air libre. Une fois les quatre pattes sur terre, Dago cabriole et aboie de joie en léchant tout ce qui passe à sa portée !

— Alors, Dag ! s'écrie Mick. Tu as encore envie de courir après les lapins ? Mais comment te gronder ? Grâce à toi, nous avons découvert le puits ! Maintenant, il ne nous reste plus qu'à chercher l'entrée du souterrain !

Une fois de plus, les enfants se mettent au travail... Et cette fois, c'est Annie qui fait une grande découverte. Sentant monter la fatigue, elle s'étend un instant sur le ventre et s'amuse à gratter le sable avec les doigts, jusqu'à ce qu'ils rencontrent un objet dur et froid. Annie déblaie le sable et, à sa grande surprise, aperçoit un anneau de fer. Elle pousse un cri qui fait accourir les autres.

— Hé ! s'exclame-t-elle. Venez voir !

Claude, Mick et François se bousculent pour la rejoindre. François prend sa bêche et dégage complètement la dalle. Il est convaincu qu'elle cache l'escalier des oubliettes !

L'excitation des enfants est à son comble. Ils essaient chacun à leur tour de tirer sur l'anneau de fer, mais la pierre ne bouge pas d'un millimètre. Alors François attache l'extrémité d'une corde à l'anneau et les quatre cousins se mettent à tirer dessus de toutes leurs forces. La dalle remue un peu.

— Allez ! Tous ensemble ! crie François. Une fois encore, tous quatre raidissent leurs muscles. La pierre bouge de nouveau et, cette fois, elle cède. Dago se met à aboyer en direction du trou.

Claude et François restent un moment immobiles, à admirer le fameux passage. Un escalier très raide, creusé dans le roc, s'enfonce dans les profondeurs souterraines.

—Venez ! crie François en brandissant sa torche. Descendons vite !

Les marches sont glissantes. Dago s'y engage

le premier, perd l'équilibre et dégringole cinq ou six marches avec un glapissement de surprise. Les quatre enfants, haletants d'impatience, descendent à leur tour. Que vont-ils trouver au bout ? Ils s'imaginent déjà entourés d'or et d'autres fabuleux trésors.

Il fait très sombre au bas de l'escalier et une forte odeur d'humidité leur pique les narines. Quand les enfants arrivent enfin au fond, François projette la lumière de sa torche tout autour de lui. Il découvre alors un étonnant spectacle.

Les oubliettes du château de Kernach sont creusées à même le roc. Personne n'est capable de dire si elles sont naturelles ou si elles ont été façonnées par des mains d'homme. En tout cas, le mystère règne dans ce lieu obscur. François souffle d'excitation et ce léger sifflement résonne dans toute la grotte.

— Que c'est bizarre ! chuchote Claude.

L'écho s'empare de ses mots et les multiplie à l'infini. Chaque oubliette tour à tour répète : « Que c'est bizarre !... c'est bizarre !... bizarre ! bizarre !... »

— À votre avis, demande Mick, où sont les lingots ?

Et de nouveau, l'écho reprend ses paroles : « Où sont les lingots ?... lingots ?... lingots ?... gots ? »

— Venez ! dit François. Il y a peut-être moins d'écho un peu plus loin !

La petite troupe s'éloigne du bas de l'escalier et commence à visiter les cachots souterrains les plus proches. Dans le temps, les oubliettes servaient peut-être de prison à d'infortunés prisonniers, mais on les utilisait certainement surtout pour entreposer objets et provisions.

— Regardez par ici ! crie soudain Mick. Il y a une porte à l'entrée de cette grotte. Je suis sûre que c'est le cachot que nous cherchons !... Celui où se trouvent les lingots d'or !

chapitre 13

Le trésor

Les quatre torches se lèvent en même temps pour éclairer la porte en bois. Celle-ci est couverte d'énormes clous et a l'air extrêmement solide. François se jette contre elle avec un cri d'enthousiasme. Il est persuadé que le cachot indiqué sur le plan se trouve juste derrière.

Malheureusement, la porte est fermée. Pas moyen de l'ouvrir en tirant le battant, ou en le poussant ! Il y a bien une serrure... mais pas la moindre clef ! Les enfants lorgnent la porte, impuissants. Alors qu'ils se croyaient si près du but, ce maudit obstacle leur barre la route.

— Il faut repartir chercher la hache ! décide François. Nous arriverons peut-être à fendre le bois autour de la serrure et à l'arracher.

— Bonne idée ! s'écrie Claude, ravie. On va faire demi-tour !

123

Mais le souterrain est tellement grand et il y a tellement de ramifications que les quatre enfants se perdent très vite. Ils trébuchent sur de vieux morceaux de bois pourris ou sur des bouteilles vides, sans jamais retrouver le couloir qui conduit au bas de l'escalier par où ils sont arrivés.

— C'est terrible, reconnaît François au bout d'un long moment, mais je n'ai aucune idée de l'endroit où peut être l'entrée.

— J'espère qu'on ne va pas rester ici jusqu'à la fin de nos jours ! lance Annie, très effrayée.

— Imbécile ! dit Mick d'un ton rassurant en lui prenant la main. On va bien finir par trouver la sortie. Hé !... Qu'est-ce que c'est que ça ?

Les enfants s'arrêtent. Ils se trouvent à présent devant ce qui ressemble à une grande cheminée de pierre qui occupe le souterrain du sol jusqu'au plafond. François braque sa torche dessus, visiblement intrigué.

— Je sais ce que c'est ! s'écrie brusquement Claude. C'est le puits, bien sûr ! Vous vous souvenez, on le voit sur le plan des oubliettes et sur celui du rez-de-chaussée. Et là, nous sommes devant la partie qui s'enfonce dans la terre. Je me demande s'il y a une ouverture

124

quelque part... pour puiser l'eau directement depuis ce souterrain.

Tous se précipitent pour voir. De l'autre côté du gros cylindre, ils découvrent une petite ouverture suffisamment large pour y passer la tête et les épaules. Avec leurs torches, ils essaient de voir le plus possible mais le puits est tellement profond qu'ils n'en voient pas le fond. François regarde alors en haut, et aperçoit la faible lumière du jour qui se glisse entre les parois du puits et la grosse pierre sur laquelle Dago est tombé plus tôt.

— Pas de doute ! dit-il. C'est bien notre puits ! Maintenant, nous savons que l'escalier des oubliettes n'est plus très loin.

Les enfants se sentent soulagés. En se tenant par la main, ils commencent à chercher les marches avec énergie. Annie pousse soudain un hurlement de joie.

— Voici l'entrée ! Ou plutôt la sortie ! J'aperçois la lumière du jour !

Ils courent jusqu'au tournant suivant et, à leur grande joie, se retrouvent devant les marches qui conduisent à la surface. François regarde autour de lui pour savoir quelle direction prendre lorsqu'ils reviendront. Il faut dire qu'il n'est pas sûr de pouvoir retrouver la porte de bois ! Arrivé en haut, François consulte sa montre et pousse un cri de surprise.

— Il est six heures et demie ! Pas étonnant que j'aie une telle faim. Nous n'avons même pas goûté. Ça fait des heures que nous travaillons et que nous errons dans ce souterrain !

— Eh bien, allons manger avant de reprendre nos recherches ! propose Mick. J'ai l'impression de n'avoir rien avalé depuis au moins un an !

— Je te signale que tu as mangé deux fois plus que tout le monde à midi ! rappelle François sur un ton d'indignation.

Puis il s'arrête net et confie avec un large sourire :

— En fait, j'ai tout aussi faim que toi. Claude, tu veux bien mettre de l'eau sur le feu ? Je crois qu'un bon chocolat chaud nous ferait du bien ! Je suis gelé après tout ce temps sous terre.

Quel délice de se prélasser au soleil couchant tout en grignotant du pain et du fromage et en se régalant de biscuits ! Dago, lui aussi, a droit à un bon repas. Il n'a pas du tout apprécié l'excursion, et tant qu'il est resté dans le souterrain, il n'a pas quitté les enfants, les suivant de près, la queue basse. Il a eu très peur, surtout quand l'écho a résonné dans les oubliettes. À un moment, lorsqu'il s'est risqué à aboyer, Dago a eu l'impression que les cachots s'étaient brusquement peuplés d'innombrables chiens qui aboyaient bien plus fort que lui. Après ça, il n'a plus osé pousser le moindre gémissement. Mais à présent, il se sent de nouveau heureux et il attrape au vol les restes que les enfants lui lancent.

Lorsque ces derniers ont terminé leur repas, ils constatent qu'il est déjà vingt heures. Le jour décline rapidement et il commence à faire frais.

— Écoutez, dit François, je n'ai plus du tout envie de redescendre dans le souterrain aujourd'hui ! Et pourtant j'aurais bien voulu attaquer cette porte à coups de hache pour voir ce qu'il y a derrière. Mais je suis trop fatigué ! Et puis, ça ne m'amuserait pas du tout de me perdre dans ces souterrains en pleine nuit.

Les autres sont d'accord avec lui, surtout Annie qui craignait secrètement de devoir s'enfoncer à nouveau sous terre après le coucher du soleil. D'ailleurs, la petite fille, épuisée par toutes les émotions de la journée, s'endort à moitié.

— Allez, Annie ! ordonne Claude en obligeant sa cousine à se lever. Va te coucher ! Nous allons dormir dans un coin de la grande pièce, enroulés dans nos couvertures, et demain, au réveil, nous serons en pleine forme pour aller ouvrir la porte mystérieuse !

Les quatre enfants, suivis de Dago, regagnent la petite salle en pierre et se blottissent dans leurs couvertures. Dago se glisse auprès des deux fillettes et se couche en travers de leurs jambes. Il est si lourd qu'Annie doit le repousser.

Claude tire Dag à elle et le laisse s'installer sur ses jambes. Elle reste couchée, à l'écouter respirer. Elle se sent très heureuse. Elle va passer une nuit sur son île. Ses cousins et elle ont presque découvert les lingots. Elle en est sûre. Les choses vont peut-être s'arranger après tout... Elle s'endort à son tour. Avec Dago comme chien de garde, les enfants n'ont rien à craindre.

Ils dorment profondément jusqu'au matin et c'est l'incorrigible Dag qui les réveille : il a aperçu un lapin derrière l'arche brisée qui sert de porte à la petite salle et il se précipite à sa suite. Ce mouvement soudain arrache Claude à ses rêves. Elle se frotte les yeux.

— Debout ! crie-t-elle aux autres. Réveillez-vous ! Il fait grand jour et nous avons du pain sur la planche.

Ses cousins se préparent à toute vitesse. En songeant à leurs découvertes de la veille, ils se sentent soudain pleins de force. Les premières pensées de François vont à la porte de bois. Il pense pouvoir en venir à bout grâce à sa hache. Mais qu'est-ce qui se trouve derrière ?

Le petit déjeuner est très joyeux et chacun mange à sa faim. Puis François prend sa hache et tous se dirigent vers l'entrée des oubliettes. Dago suit la petite troupe en remuant la queue, plus par habitude que par entrain : il est assez préoccupé à l'idée de retourner dans ce tunnel peuplé de chiens dont on entend les bruyants aboiements mais qu'on n'aperçoit jamais. Pauvre Dago, il ne comprend décidément rien à l'écho !

Les enfants descendent dans le souterrain. Bien entendu, ils n'ont aucune idée de la direction à prendre pour retrouver la porte de bois, et ils s'épuisent à errer dans le tunnel.

— Nous allons encore nous perdre comme hier soir, soupire Claude, désespérée. C'est un vrai labyrinthe là-dedans ! Nous n'arriverons jamais à retrouver l'entrée.

Tout à coup, François a une idée de génie. Il tire de sa poche un morceau de craie blanche, revient sur ses pas jusqu'à l'escalier et fait une marque sur le mur à cet endroit. Puis il continue à tracer des flèches sur les murs, au fur et à mesure que la petite troupe s'éloigne le long du souterrain. Les enfants parviennent jusqu'au puits sans encombre.

— Désormais, dit-il, chaque fois qu'on arrivera à ce puits, on pourra facilement retrouver la sortie : il n'y aura qu'à suivre mes marques de craie. Voilà un problème de réglé... Et maintenant, quel chemin prendre ? On va essayer un premier couloir et je marquerai les murs tout le long : si ce n'est pas celui qui conduit à la porte, il suffira qu'on revienne sur nos pas en effaçant les flèches. En partant toujours du puits, on essaiera les couloirs les uns après les autres, jusqu'à trouver le bon !

L'idée fonctionne à merveille. Le premier couloir ne mène nulle part et les enfants doivent rebrousser chemin en effaçant les flèches. Mais la deuxième tentative est la bonne et cette fois ils parviennent à trouver la porte de bois ! Elle se dresse devant eux, lourde et massive avec ses gros clous rouillés. Ils la contemplent avec des airs de triomphe. François lève sa hache. Crac ! Il frappe de toutes ses forces, juste contre la serrure. Mais le bois, bien que très vieux, est encore résistant. François cogne une seconde fois. Malheureusement, la hache s'abat sur l'un des clous et glisse sur le côté. Un gros

130

éclat de bois s'envole et frappe directement Mick sur la joue. Le jeune garçon pousse un hurlement de douleur. François abandonne sa hache et se précipite vers le blessé pour l'examiner. La joue de Mick saigne abondamment.

— Quelque chose a sauté de cette maudite porte et m'a blessé, explique Mick. Une grosse écharde, je crois...

— Zut ! murmure François en tournant la lumière de sa torche pour bien éclairer son frère. Tu veux que j'essaie d'enlever l'écharde ? Ça va aller ?

Mick préfère retirer l'écharde lui-même. Il grimace de douleur, puis devient tout pâle.

— Tu ferais bien de remonter au grand air un instant, juge François. De toute manière, il faut nettoyer cette plaie et empêcher le sang de couler encore. Il suffit de tremper un mouchoir dans l'eau et de tamponner la joue.

— Je vais remonter avec Mick pour m'occuper de lui, décide Annie. Toi, François, tu peux rester ici avec Claude et poursuivre la recherche.

Mais François souhaite lui aussi accompagner Mick jusqu'à l'air libre. Il tend sa hache à Claude :

— Je vais avec eux. Pendant ce temps-là, tu peux toujours essayer de casser cette porte.

131

Autant ne pas perdre de temps parce que je crois que nous allons avoir du mal. Je serai de retour dans quelques minutes. Ce sera facile avec tous ces repères sur le mur.

— D'accord, acquiesce Claude en prenant la hache. Pauvre Mick !... Il est blanc comme un linge !

Laissant derrière lui Dago et Claude, François ramène Mick et Annie à la surface. La petite fille trempe un coin de son mouchoir dans l'eau de la casserole et essuie tout doucement la blessure de son frère. La joue de Mick saigne encore beaucoup mais l'entaille n'est pas très profonde. Le jeune garçon ne tarde pas à reprendre des couleurs et parle même de redescendre avec François dans le souterrain.

— Non, dit François. Il vaut mieux que tu te reposes un peu. Allonge-toi sur le dos. Il paraît que c'est ce qu'il faut faire quand on saigne du nez, ça marche peut-être aussi pour les joues ? Vous pourriez aller vous installer là-bas tous les deux, sur ces rochers d'où l'on peut voir l'épave. Allez, venez ! Je vous y emmène.

François conduit son frère et sa sœur hors de la cour du château, jusqu'aux rochers de l'île qui font face au grand large. La coque sombre de la vieille épave est toujours prisonnière des rochers. Mick se couche sur le dos et contemple le ciel, en espérant que sa joue s'arrêtera vite de saigner. Il ne voudrait pas que les autres découvrent le trésor sans lui.

Annie lui prend la main. Le petit accident de son frère l'a bouleversée. Elle non plus ne veut pas passer à côté de la découverte des lingots, mais elle tient à rester auprès du blessé jusqu'à ce qu'il aille mieux. François leur tient compagnie une minute ou deux, puis reprend le chemin du souterrain...

Une fois sous terre, le jeune garçon rejoint rapidement Claude, qui s'acharne toujours contre la porte. Elle a démoli le battant tout autour de la serrure mais la porte refuse encore de s'ouvrir. François lui prend la hache des mains et frappe de toutes ses forces. À la seconde tentative, la serrure paraît enfin céder. Elle devient plus lâche et glisse un peu de côté. François pose sa hache au sol.

— Elle ne tient pratiquement plus, dit-il d'une voix haletante. Nous allons en finir d'un coup. Pousse-toi de là, Dago ! Et toi, Claude, appuie en même temps que moi !

Les deux cousins poussent ensemble et la serrure cède dans un horrible craquement. L'énorme porte s'ouvre en grinçant et les deux cousins se précipitent à l'intérieur en brandissant leurs torches.

La pièce dans laquelle ils se trouvent n'est pas tellement plus grande qu'une cave, creusée comme les autres dans le roc. Mais tout au fond de celle-ci s'entassent de curieux objets, qui ressemblent à des briques en métal terni et jaunâtre. François en ramasse une.

— Claude ! crie-t-il. Les lingots ! Ces briques sont en or ! Elles ne paient pas de mine comme ça... mais c'est bien de l'or. Claude, il y a une véritable fortune ici... et elle est à toi ! On a découvert le trésor !

chapitre 14

Pris au piège !

Claude n'arrive pas à prononcer un mot. Elle prend un des lingots et reste immobile, les yeux fixés sur le gros tas d'or devant elle. Elle n'arrive pas à croire que ces objets en forme de briques sont d'un métal aussi précieux. Son cœur bat à se rompre. Quelle découverte ! Soudain, Dago se met à grogner sourdement. Il tourne le dos aux enfants, le museau pointé vers la porte. Tout à coup il se déchaîne et ses aboiements envahissent la cave.

— Tais-toi, Dag ! ordonne François. Qu'est-ce que tu as entendu ? C'est peut-être les autres qui viennent nous rejoindre !

Il s'approche de la porte et, les mains en porte-voix, crie de toutes ses forces :

— Mick ! Annie ! C'est vous ? Venez vite !

135

On a trouvé les lingots ! Ils sont ici ! Dépêchez-vous !

Dago cesse d'aboyer mais recommence à grogner. Claude a l'air inquiète.

— Qu'est-ce qui peut bien se passer ? dit-elle. Dago ne grognerait pas comme ça en direction d'Annie et Mick.

Elle n'a pas fini sa phrase que les deux cousins sursautent en entendant une voix d'homme résonner dans le tunnel.

— Qui est là ? Mais qui peut bien être descendu ici ?

Prise de panique, Claude s'agrippe à François. Dago continue à gronder, les poils hérissés sur le dos.

— Calme-toi, Dago ! murmure Claude en éteignant sa torche.

Mais le chien ne veut décidément rien savoir et il continue à gronder, l'œil mauvais. Tout à coup, les enfants aperçoivent le faisceau d'une puissante lampe électrique jaillir dans le passage, à quelques pas d'eux. Puis la lumière inonde la pièce et se braque sur les enfants. Celui qui porte la torche s'arrête net.

— Tiens, tiens ! dit la voix qui les a effrayés un instant plus tôt. Des enfants dans les caves de mon château !

— Comment ça, *votre* château ? s'écrie Claude.

— Mais oui, ma petite fille, ceci est mon château, puisque je suis en train de l'acheter !

Une seconde voix, plus hargneuse, s'élève à son tour.

— Qu'est-ce que vous faites dans ce souterrain, les gosses ? On peut savoir qui sont ce Mick et cette Annie que vous avez appelés il y a deux minutes ? Et qu'est-ce que c'est que ces lingots que vous avez trouvés ?

— Ne réponds pas ! chuchote François à Claude.

Mais l'écho s'empare de ses paroles et les fait résonner très fort dans le passage :

— Ne réponds pas ! Ne réponds pas !

— Alors comme ça, vous ne voulez pas répondre ! s'énerve l'homme à la voix hargneuse.

Et il s'avance d'un air menaçant vers les deux cousins.

Dago montre les crocs mais l'individu ne paraît pas du tout impressionné. Il se dirige tout droit vers la porte, pour examiner la cave de plus près au moyen de sa torche.

— Jean ! Regarde ! dit-il. Tu avais raison. L'or était bien dans le souterrain. Et il va être facile à emporter en plus ! Que des lingots...

Eh bien, on peut dire qu'on a trouvé un sacré filon !

— Cet or est à moi ! coupe Claude, furieuse. L'île et le château appartiennent à ma mère... et tout ce qu'il y a dedans aussi ! C'est mon arrière-arrière-grand-père qui a apporté ce trésor ici, avant que son navire ne fasse naufrage. Cet or n'est pas à vous et ne le sera jamais. Dès mon retour à la maison je dirai à papa et à maman ce que nous avons trouvé, et alors je vous garantis qu'ils ne vous vendront ni l'île ni le château. C'est très malin de votre part d'avoir déchiffré les indications du vieux parchemin, mais nous avons été plus rapides que vous !

Les deux hommes écoutent le petit discours de Claude, prononcé d'une voix claire mais chargée de colère. Soudain, l'un d'eux éclate de rire.

— Tu n'es qu'une gamine ! lance-t-il. Tu ne crois tout de même pas que tu vas réussir à faire échouer nos projets ? Nous allons bel et bien acheter cette île et tout ce qu'elle contient ! Nous emporterons l'or dès que cet acte de vente sera signé ! D'ailleurs, quoi qu'il arrive, nous prendrons l'or ! Nous n'aurons aucun mal à amener un bateau près d'ici et à y transporter les lingots. Ne te fais pas d'illusions ! Nous obtiendrons ce que nous voulons.

— Jamais de la vie ! s'écrie Claude en faisant un pas en avant. Je rentre tout droit à la maison prévenir papa de ce qui se passe ici !

— Non, ma petite. Tu ne vas pas rentrer chez toi ! rétorque le premier individu en saisissant Claude par les épaules et en la reconduisant violemment à l'intérieur de la cave. Tu vas rester ici ! Et si tu ne veux pas que j'abatte cet horrible chien, tu as intérêt à le faire tenir tranquille !

À son grand étonnement, Claude s'aperçoit alors que l'homme tient à la main un petit pistolet. D'un geste rapide, elle saisit Dago par le collier et le tire vers elle.

— Tout doux, Dago ! dit-elle. Tout va bien !

Mais Dago sent que tout ne va pas si bien. Il continue à grogner.

— Et maintenant, écoutez-moi ! dit l'homme aux deux enfants après s'être mis d'accord avec son complice. Si vous êtes raisonnables, il ne vous arrivera rien. Mais si vous vous obstinez à vouloir nous mettre des bâtons dans les roues, alors vous aurez affaire à nous ! Voilà ce qu'on va faire... On va partir en vous laissant enfermés ici. Quand on aura loué un bateau, on reviendra chercher l'or. Ce n'est plus la peine

139

d'acheter l'île maintenant qu'on a mis la main sur le trésor.

Il ne prête aucune attention aux regards affolés des enfants.

— Maintenant, poursuit-il, vous allez écrire un mot à vos deux amis pour leur dire que vous avez trouvé l'or et qu'il faut qu'ils vous rejoignent... Quand ils seront là, nous vous enfermerons tous les quatre dans la cave. On vous laissera de quoi boire et manger. Vous pourrez même vous amuser avec les lingots si ça vous chante.

L'autre individu tire un crayon et un bout de papier de sa poche.

— Tenez, dit-il. Écrivez un mot à Mick et à Annie. Vous enverrez votre chien le leur porter. J'imagine qu'il saura se débrouiller. Allez, dépêchez-vous !

— Non ! s'écrie Claude, hors d'elle. Je n'écrirai rien du tout. Vous ne pouvez m'obliger à faire une chose pareille ! Et je ne vous permettrai pas non plus d'emporter mon or !

— Si tu ne nous obéis pas, je tue ton chien, compris ? dit l'homme en levant un peu le canon de son pistolet.

Claude sent son cœur se glacer et pousse un cri d'effroi.

— Non, non ! supplie-t-elle.

— Alors, écris ! insiste l'homme.

— Je ne peux pas ! Je ne veux pas que vous fassiez du mal à Mick et Annie !

— Très bien. Tu peux dire au revoir à ton chien !

L'homme tourne l'arme vers Dago, Claude jette ses bras autour du chien et se met à hurler.

— Non, non ! Arrêtez ! Je vais écrire ce mot. Ne tirez pas ! Ne tirez pas !

Là-dessus, la fillette prend le papier et le crayon d'une main tremblante et regarde le bandit.

— Écris ! ordonne-t-il. « Cher Mick et chère Annie. Nous avons trouvé l'or. Venez tout de suite nous retrouver dans la cave. » Puis signe de ton nom.

Claude s'exécute. Ensuite, toujours docile, elle signe de son nom mais, au lieu de « Claude », elle inscrit « Claudine » au bas du message. Elle se dit que Mick et Annie devineront qu'elle ne signerait jamais de son vrai prénom si ce n'était pas pour les alerter d'un grave problème. L'homme prend le billet, le lit et l'attache au collier de Dago. Pendant ce temps, le chien n'arrête pas de gronder, mais Claude réussit à l'empêcher de mordre.

— Et maintenant, dites-lui d'aller retrouver vos amis ! ordonne l'homme.

— Allez... va voir Mick et Annie ! dit Claude. Dépêche-toi, Dago ! Donne-leur ma lettre !

Dago n'a aucune envie de quitter sa jeune maîtresse, mais il a l'air de comprendre qu'il n'a pas le choix. Après un dernier regard vers Claude, il se met en route et disparaît dans le souterrain. Le fidèle animal retrouve son chemin sans problème. Il grimpe les marches de pierre et débouche à l'air libre. Il s'arrête au milieu de la vieille cour, et flaire la trace des deux enfants. Puis il s'élance, la truffe au ras du sol. Il ne tarde pas à découvrir les deux enfants étendus sur les rochers. Mick se sent beaucoup mieux à présent et sa joue ne saigne presque plus. À la vue du chien, il se redresse.

— Tiens ! jette-t-il d'un ton surpris. Mais c'est Dago ! Qu'est-ce que tu fais là, mon gros chien ? Tu en avais assez de rester sous terre, pas vrai ?

— Mick ! Regarde ! Il y a un morceau de papier attaché à son collier ! dit Annie. C'est un message. Les autres doivent vouloir qu'on les rejoigne ! Dago est sacrément intelligent d'avoir compris qu'il devait nous apporter le message !

Mick détache le mot du collier de Dag. Il le déplie et le lit à haute voix.

— « Cher Mick et chère Annie », commence-t-il. « Nous avons trouvé l'or. Venez tout de suite nous retrouver dans la cave. Claudine ».

— Ooooh ! s'écrie Annie, les yeux brillants. Ils ont trouvé le trésor ! Mick, tu te sens assez bien pour redescendre ? Il faut faire vite.

Mais Mick ne bronche pas. Il reste assis sur les rochers, observant le message d'un air absorbé.

— Qu'est-ce qu'il y a ? demande Annie, impatiente.

— En fait, je trouve bizarre que Claude ait signé Claudine ! explique Mick en secouant la tête d'un air perplexe. Tu sais combien elle déteste son prénom. Elle ne répond jamais quand on l'appelle Claudine !... C'est vraiment bizarre. Ça pourrait être un moyen de nous prévenir que quelque chose ne va pas.

— Ne sois pas stupide, Mick ! s'exclame Annie. Pourquoi veux-tu que ça n'aille pas ? Allez, dépêche-toi. J'ai hâte de rejoindre Claude et François.

— Attends un peu, Annie ! Je vais aller jeter un coup d'œil au petit port pour être bien sûr que personne d'autre n'a abordé dans l'île, décide Mick. Et toi, reste ici !

Mais Annie n'a aucune intention de rester toute seule. Elle décide donc d'accompagner Mick. En arrivant à proximité du petit port, les deux enfants s'aperçoivent avec stupeur que leur canot n'est plus tout seul. Mick ne s'est pas trompé. Il y a donc bien des étrangers sur l'île !

— Tu vois, murmure le jeune garçon. Quelqu'un a débarqué ici. C'est sûrement l'homme qui veut acheter le château. Je parie qu'il a déchiffré le parchemin et qu'il sait qu'il y a un trésor caché dans les souterrains. Il a dû tomber sur Claude et François en bas... À mon avis, il veut que nous allions les rejoindre pour nous enfermer tous les quatre pendant qu'il volera l'or ! C'est lui qui a obligé Claude à nous écrire ce mot... Mais elle a été assez maligne pour nous avertir en signant d'un prénom dont elle ne se sert jamais ! Et maintenant... il faut réfléchir très vite. Il n'y a pas de temps à perdre !

chapitre 15

Mick à la rescousse

Mick prend Annie par la main et la tire vivement en arrière, hors de vue de la petite baie. Et si l'homme n'était pas venu seul ? Il a peut-être posté un guetteur quelque part... Forçant sa sœur à courir, le jeune garçon l'entraîne jusqu'à la petite salle où ils ont passé la nuit. Tous deux s'assoient dans un coin.

— Ça ne fait aucun doute, déclare Mick, François et Claude ont été surpris par des visiteurs inconnus pendant qu'ils essayaient d'ouvrir la porte du cachot au trésor. Je me demande bien ce que nous allons pouvoir faire... En tout cas, il ne faut pas redescendre dans le souterrain sinon nous serons capturés. Tiens... Dago, où vas-tu ?

Le chien les suivait jusque-là mais, tout d'un

coup, il semble vouloir leur fausser compagnie. Il se précipite vers l'entrée du souterrain. Il veut rejoindre Claude au plus vite, car il sent qu'elle est en danger. Tant que Dago était avec eux, ils étaient un peu rassurés. Mais maintenant qu'il est parti, ils se sentent plus seuls que jamais. Ni l'un ni l'autre n'arrive à prendre la moindre décision. Soudain, Annie a une idée.

— Je sais ! s'écrie-t-elle. Échappons-nous avec le canot et allons à terre chercher de l'aide.

— J'y ai déjà pensé, répond Mick l'air sombre, mais je crois que nous n'arriverons jamais à nous faufiler entre les rochers sans chavirer. En plus, nous n'aurons pas la force de ramer jusqu'à la côte. Je ne vois pas de solution.

Cependant, le frère et la sœur ne se creusent pas longtemps la tête. Les deux hommes sortent du souterrain et commencent à chercher Mick et Annie. Ils ont vu Dago revenir sans le message et savent donc que les deux enfants l'ont lu. Ils ne comprennent pas pourquoi Annie et Mick ne sont pas tombés dans le piège. Mick entend leurs voix. Aussitôt, il serre le bras d'Annie pour l'empêcher de bouger. Se rapprochant avec précaution de l'arche brisée, il aperçoit leurs ennemis et constate avec soulagement qu'ils s'éloignent dans la direction opposée.

— Annie ! Je sais où on peut se cacher ! murmure le jeune garçon, fier de sa trouvaille. Courons au vieux puits. On descendra les premiers mètres de l'échelle et on restera là aussi longtemps qu'il le faudra. Je suis sûr qu'aucun de ces bandits n'aura l'idée d'y regarder !

L'idée de rester accrochée à la petite échelle rouillée, dans la pénombre du puits, n'enchante pas tellement Annie. Mais Mick l'oblige à se lever et à se précipiter vers le centre de la cour. Les hommes sont en pleine recherche de l'autre côté du château. Les deux enfants ont juste le temps de se cacher. La grosse dalle sur laquelle Dago était resté perché après sa dégringolade est toujours à la même place. Mick descend jusqu'à elle et s'y appuie pour tester sa résistance, tout en étant agrippé à l'échelle : la dalle est bien coincée et elle ne risque pas de bouger.

— Tu peux t'asseoir sur cette pierre, Annie, elle est assez solide, dit-il à sa sœur dans un souffle. Viens vite, ce sera moins fatigant que de te cramponner aux barreaux.

Annie obéit en frissonnant. Les deux enfants restent cachés là un bon moment, en croisant les doigts pour que personne ne vienne les trouver au fond de cette cachette peu confortable. Bientôt ils entendent les deux hommes se rapprocher puis les appeler à haute voix :

— Mick ! Annie ! Les autres vous attendent ! Où êtes-vous ? Nous avons de bonnes nouvelles pour vous !

— Dans ce cas, siffle Mick entre ses dents, pourquoi est-ce qu'ils ne viennent pas nous les donner eux-mêmes ? Ils nous prennent pour des imbéciles. Je me doutais bien qu'il se passait quelque chose de louche dans le souterrain ! Je donnerais cher pour rejoindre Claude et François et savoir ce qui s'est passé !

À présent, les deux hommes se trouvent dans la cour. Ils semblent très en colère.

— Mais où sont ces maudits gamins ? grogne l'un d'eux. Leur canot est toujours sur la plage, ils n'ont pas quitté l'île. Ils sont forcément quelque part. Nous n'allons tout de même pas les attendre toute la journée !

— Tu as raison ! On a déjà perdu assez de temps. Apportons à nos prisonniers de quoi manger. J'ai remarqué un tas de provisions dans la petite salle du château. Ça doit être la réserve des enfants. Nous en laisserons la moitié sur place pour que les deux autres puissent manger aussi. Et en partant on emmènera leur canot, histoire qu'ils ne puissent pas quitter l'île.

— D'accord ! L'essentiel est d'emporter l'or loin d'ici le plus vite possible et de retenir ces quatre gosses prisonniers sur l'île jusqu'à ce qu'on soit en sûreté avec notre butin. Il n'y a pas de souci à se faire.

— Allez, tais-toi un peu ! Il vaut mieux que tu restes ici pendant que j'apporte à manger aux prisonniers ! On ne sait jamais. Les deux autres pourraient revenir, tu n'auras qu'à les attraper.

Mick et Annie osent à peine respirer en écoutant cette discussion. Pourvu qu'au dernier moment les bandits n'aient pas l'idée de jeter un coup d'œil dans le puits ! Ils entendent l'un des hommes se diriger vers la petite salle à provisions. L'autre reste dans la cour, et sifflote tranquillement. Enfin le premier bandit revient et s'éloigne ensuite, avec son compagnon, en direction de la petite crique. Mick entend bientôt le bruit d'un bateau à moteur.

— On peut sortir, Annie ! déclare-t-il. Ce n'est pas trop tôt ! Qu'est-ce qu'il fait froid ici !

Tous deux se dépêchent de quitter leur cachette et profitent un instant de la chaleur estivale. Puis, tout en restant bien cachés, ils distinguent le canot à moteur des bandits qui navigue droit vers la terre ferme.

— Bon ! Nous sommes débarrassés d'eux pour le moment ! s'exclame Mick tout joyeux. Et ils n'ont même pas pris notre bateau ! Si seulement on pouvait délivrer François et Claude, on pourrait aller chercher du secours.

149

Claude est capable de ramer jusqu'à la côte, elle !

— Et qu'est-ce qui nous en empêche ? s'écrie Annie. On n'a qu'à descendre dans le souterrain et déverrouiller la porte, non ?

— Malheureusement ! répond Mick tristement. Tu n'as pas vu ? Regarde...

Annie se rend alors compte que les deux bandits ont empilé d'énormes pierres à l'entrée du souterrain. Ils ont dû employer toutes leurs forces pour déplacer des rochers aussi lourds. Mick et Annie n'ont aucune chance de parvenir à dégager le passage.

— Impossible de passer par l'escalier de pierre, fait remarquer Mick. Ces hommes se sont débrouillés pour nous en empêcher. Et nous n'avons aucune idée de l'endroit où se trouve la seconde entrée. Tout ce qu'on sait, c'est qu'elle doit être près de la tour aux choucas !

— On peut toujours essayer de la trouver ! propose Annie avec ardeur.

Mick et elle se dirigent vers la tour mais ils comprennent vite qu'il n'existe plus de seconde entrée depuis longtemps. Le château est en ruine à cet endroit-là et le sol est encombré de gros blocs de pierre impossibles à déplacer. Les enfants doivent abandonner leurs recherches.

— Zut ! s'écrie Mick. Quand je pense que Claude et François sont enfermés dans les oubliettes et qu'on ne peut rien faire pour les tirer de là !... Il faut qu'on trouve une solution !

Annie s'assied sur une pierre et se met à réfléchir. Elle voudrait tellement aider son frère et sa cousine ! Soudain, son visage s'éclaire et elle se tourne vers Mick.

— Mick !... Tu crois qu'on pourrait descendre plus bas dans le puits ? demande-t-elle. Tu sais qu'il traverse les oubliettes... et qu'il y a une ouverture qui donne directement sur le souterrain ! Tu te souviens ? On pourrait peut-être se faufiler entre la paroi et la grosse pierre qui bouche le puits. Ça vaut la peine d'essayer, non ?

Mick comprend très bien ce qu'elle veut dire. Il s'approche du puits et scrute les profondeurs.

— Je crois bien que tu as raison, Annie ! dit-il enfin. Nous ne sommes pas bien gros ni l'un ni l'autre. Je pense qu'on doit pouvoir descendre plus bas que cette pierre. Il y a juste la place pour passer. En revanche, je ne sais pas du tout jusqu'où descend l'échelle !

— Tant pis, essayons toujours ! insiste Annie. C'est la seule chance qu'il nous reste de délivrer les autres.

— D'accord, dit Mick. Je vais essayer...

151

Mais toi, Annie, il vaut mieux que tu ne viennes pas. Je ne tiens pas à ce que tu dégringoles au fond du puits.. L'échelle est peut-être cassée à mi-chemin... Tu vas rester ici et attendre au cas où j'aurais besoin d'aide. Je vais voir ce que je peux faire.

— Fais attention, s'il te plaît ! dit Annie d'une voix pressante. Et prends une corde avec toi, Mick, tu en auras sûrement besoin.

— Bonne idée ! répond Mick.

Suivant le conseil de sa sœur, il enroule et attache une corde autour de sa taille.

— Je suis prêt ! s'écrie-t-il d'un ton enjoué. En avant pour la descente ! Et ne t'inquiète pas. Tout ira bien.

Annie est toute pâle. Elle a très peur de voir Mick tomber au fond du puits. Elle le regarde descendre les échelons de fer jusqu'à la pierre bloquée. Là, Mick retient son souffle pour se faire le plus mince possible et essayer de se glisser entre la pierre et le mur. Il y arrive, non sans mal, et, dès cet instant, Annie le perd de vue. Heureusement, elle parvient encore à l'entendre.

— L'échelle se prolonge après la grosse pierre, Annie ! Tout va bien ! crie-t-il. Tu m'entends ?

— Oui ! répond Annie, penchée au-dessus

du rebord du puits. Sa propre voix lui revient en écho. Fais bien attention !

— Ça va toujours ! hurle Mick en retour.

Mais il pousse ensuite un cri de déception.

— Zut ! L'échelle s'arrête juste ici. On dirait qu'elle est cassée net. Il va falloir que j'utilise ma corde !

Un silence suit. Mick défait la corde enroulée autour de sa taille, puis l'attache à l'avant-dernier échelon, qui a l'air assez solide.

— Je continue la descente en me servant de la corde ! lance-t-il encore à Annie. Ne t'inquiète pas. Tout va bien !...

À partir de cet instant, Annie n'arrive plus à comprendre ce que lui crie Mick car ses mots sont étouffés, par la profondeur du puits et par la grosse pierre qui fait obstacle. Mais elle est heureuse de l'entendre parler : cela prouve au moins qu'il est toujours sain et sauf. Elle l'encourage de temps en temps de la voix, espérant que, de son côté, il distingue ses paroles.

Mick continue à se laisser glisser le long de la corde. Heureusement que les acrobaties ne lui ont jamais fait peur ! À l'école, il est toujours le premier à jouer les casse-cou ! Au bout d'un moment, il coince sa torche entre ses jambes pour garder les deux mains libres et essaie de tourner sur lui-même pour balayer le puits avec sa lumière. Mais Mick n'arrive pas à savoir s'il se trouve encore au-dessus des oubliettes ou s'il les a dépassées. Après une minute de réflexion, il se dit que l'ouverture ne doit pas être loin. Il a dû la dépasser sans s'en rendre compte. Il remonte donc un petit peu et, à son grand soulagement, il découvre l'ouverture juste au-dessus de sa tête. Il monte encore un peu et se balance au bout de la corde pour se rapprocher de la petite entrée. Bientôt il parvient à en accrocher le rebord et commence à s'y faufiler. Tout cela n'est pas facile mais il se tortille si bien qu'il finit par se retrouver dans le souterrain.

À présent, il lui suffit de suivre les marques de craie sur les murs pour arriver à la cave où se trouvent les lingots et où sont à coup sûr enfermés Claude et François. Il rallume sa torche et projette la lumière sur les murs. Bon... les flèches blanches sont toujours là. C'est déjà ça ! Avant de se mettre en route, Mick passe la tête dans l'ouverture du puits et hèle sa sœur.

— Annie ! Ça y est ! Je suis dans le souterrain ! Fais le guet au cas où les hommes reviendraient !

Puis il se met à suivre les flèches. Son cœur bat très vite. Au bout d'un moment, il arrive devant la porte cloutée. Comme il s'y attendait, elle est bloquée pour empêcher Claude et François de s'échapper. De gros verrous sont fixés en haut et en bas du lourd battant.

De leur côté, Claude et François ont un moment essayé d'abattre la porte, mais sans succès. À présent, ils sont assis dans la cave au trésor, à bout de forces et très en colère.

L'homme qui les a enfermés là est revenu leur apporter de quoi boire et manger, mais ils n'ont pas touché à leurs provisions. Dago est avec eux, couché par terre, la tête entre les pattes, un peu fâché contre Claude qui l'a empêché de sauter à la gorge des étrangers alors qu'il en avait vraiment envie.

— De toute façon, dit soudain Claude, je suis contente que Mick et Annie ne se soient pas laissé prendre avec nous ! Ils ont dû comprendre qu'il se passait quelque chose en voyant que j'avais signé « Claudine » au lieu de « Claude ». Je me demande ce qu'ils font en ce moment. Ils ont dû se cacher pour échapper aux bandits...

Un grognement de Dago l'interrompt. Le chien bondit et s'avance vers la porte fermée, la tête penchée. Il a entendu un bruit, c'est sûr.

— J'espère que ce ne sont pas les hommes qui reviennent déjà ! gémit Claude.

155

Puis elle éclaire Dago de la lueur de sa torche et s'aperçoit que le chien remue la queue d'un air joyeux. Un grand coup contre la porte fait sursauter François et Claude. C'est alors que la voix enjouée de Mick résonne.

— Ohé ! Claude ! François ! Vous êtes là ?

— Ouah ! répond Dago en grattant la porte d'une patte.

— Mick ! Dépêche-toi de nous ouvrir ! hurle François fou de joie. Vite, vite, ouvre-nous !

chapitre 16

Claude tient sa revanche !

Mick se dépêche de déverrouiller la porte et l'ouvre toute grande. Puis il se précipite à l'intérieur de la cellule et prend son frère et sa cousine dans ses bras.

— Alors ? s'écrie-t-il, contents d'être à nouveau libres ?

— Ne m'en parle pas ! répond François en riant, tandis que Dago sautille et tourne en rond, en aboyant comme un fou.

Claude sourit à Mick.

— Tu t'es débrouillé comme un chef, lui dit-elle. Raconte-nous ce qui s'est passé...

Mick fait alors le récit de ses aventures avec Annie. Quand il raconte sa descente au fond du puits, Claude et François le regardent avec des yeux ronds François prend son frère par l'épaule.

157

— Beau travail ! lui dit-il avec admiration. Maintenant, il faut faire vite... Qu'allons-nous faire ?

— Eh bien, répond Claude, si ces hommes nous ont laissé le canot, je vais vous ramener à terre le plus vite possible. Il faut trouver de l'aide coûte que coûte ! Venez ! Nous allons remonter par le puits.

Les trois enfants courent en direction du puits. Là, ils agrandissent un peu l'ouverture en arrachant quelques pierres, puis s'y faufilent chacun à leur tour, se servant de la corde puis de l'échelle de fer pour remonter. Claude remonte la première, suivie de François. Le sauvetage de Dago est plus difficile. Mick doit l'attacher au bout d'une corde, puis le hisser hors du trou. Mick remonte à son tour, bientôt tous se retrouvent à l'air libre. Ils embrassent Annie, qui ne cache pas son soulagement.

— Ne perdons pas de temps ! s'écrie Claude. Au canot, vite ! Les bandits peuvent revenir d'une minute à l'autre !

Tous quatre, Dago sur les talons, courent vers la crique. Ils y trouvent bien leur bateau à l'endroit où ils l'ont laissé, à l'abri des vagues. Mais une mauvaise surprise les attend !

— Ils ont emporté les avirons ! s'exclame Claude, bouleversée. Les monstres ! Ils savent

158

bien qu'on ne peut pas se servir du canot sans les rames. Ils ont dû avoir peur qu'Annie et Mick ne s'échappent et, au lieu de s'encombrer de notre bateau, ils se sont contentés de prendre les avirons. Que faire ? Il n'y a aucun moyen de partir d'ici.

Les enfants commencent à sentir l'angoisse les gagner. Après le brillant sauvetage opéré par Mick, ils se sont imaginé que tout allait s'arranger. Et voici que les choses semblent pires que jamais !

— Bon, réfléchissons bien, déclare François en s'asseyant sur un rocher d'où il peut surveiller l'entrée de la baie. Les voleurs sont probablement partis louer un bateau pour transporter les lingots et prendre la fuite juste après. Ça va leur prendre du temps, ils ne risquent pas de revenir tout de suite !

— Même s'ils ne reviennent pas avant des heures, dit Claude en hochant la tête d'un air découragé, je ne vois pas ce que ça va changer, puisqu'on ne peut pas quitter l'île sans avirons... Et ça m'étonnerait qu'on réussisse à faire signe à un bateau de pêche ! Il n'en passera aucun de ce côté avant ce soir. Je crois que nous sommes condamnés à attendre le retour des deux hommes... et à assister au vol des lingots.

— Attends !... intervient soudain François en

détachant bien ses mots. Laisse-moi réfléchir une minute, j'ai peut-être une idée.

» Je crois que mon plan n'est pas mauvais, déclare-t-il au bout de quelques instants. Écoutez ! Nous allons attendre le retour des voleurs. Qu'est-ce qu'ils vont faire ? Ils vont forcément commencer par retirer les grosses pierres qu'ils ont placées à l'entrée du souterrain et ils descendront dans les caves, tout droit vers le cachot où ils nous ont laissés, pensant que nous y sommes encore, et ils y entreront. Alors, voici mon idée... Il faudrait que l'un de nous se cache dans le souterrain, prêt à les enfermer dans le cachot à leur tour ! Comme ça, on pourra quitter l'île soit avec leur canot à moteur, soit à bord du nôtre, si on arrive à récupérer nos rames. Après, il ne nous restera plus qu'à prévenir la police.

Annie trouve l'idée de François parfaite. Mais Claude et Mick semblent un peu moins enthousiastes. Claude est la première à soulever une objection.

— Il va falloir, dit-elle, redescendre verrouiller la porte de l'extérieur si l'on veut faire croire à ces hommes que l'on est toujours prisonniers. Et puis, imaginez que celui qui est chargé d'enfermer les malfaiteurs rate son coup. J'ai l'impression que ça ne va pas être une

160

mince affaire de les prendre au piège. Il faudra faire tellement vite ! Et si on échoue, ils commenceront par attraper celui qui sera en bas, puis remonteront s'occuper des trois autres.

— Tu as raison ! reconnaît François d'un ton songeur. Bon ! On va repenser mon plan. Dans le pire des cas... Supposons que Mick – si c'est lui qui descend – ne réussisse pas à enfermer les bandits et qu'ils remontent. Eh bien, pendant qu'ils seront encore en bas, on entassera de grosses pierres à l'entrée du souterrain, comme ils l'ont fait eux-mêmes. Comme ça, ils ne pourront plus sortir.

— Mais que deviendra Mick, alors ? demande aussitôt Annie.

— Je pourrai remonter par le puits ! répond Mick. Oui, c'est moi qui vais descendre et me cacher ! Je ferai de mon mieux pour enfermer les hommes dans la cave aux lingots grâce au verrou. Et si je dois m'échapper, je passerai par l'ouverture du puits. Les bandits ne connaissent pas ce passage. Alors, même s'ils ne sont pas prisonniers dans la cave, ils seront prisonniers dans le souterrain !

Les enfants détaillent encore un moment le nouveau plan de François et finissent par décider que c'est encore la meilleure solution.

— Et maintenant, dit Claude, je propose

qu'on reprenne des forces en mangeant. Il ne faut pas rester le ventre vide.

Tous meurent de faim. Ils vont donc chercher des provisions dans la salle du château et mangent près de la plage, un œil fixé sur l'entrée de la baie, guettant le retour des deux hommes. Au bout de deux heures environ, ils aperçoivent un assez gros bateau de pêche qui se dirige sur l'île. Et bientôt, ils perçoivent aussi le teuf-teuf d'un canot à moteur.

— Les voilà qui reviennent ! s'écrie François, tout ému, en se levant d'un bond. Ils ont probablement l'intention de mettre tous les lingots dans ce bateau avant de filer en Angleterre ou ailleurs... Le canot à moteur est juste derrière. Regardez, ce sont les deux bandits ! Vite, Mick, descends par le puits, va refermer les verrous et cache-toi jusqu'à ce qu'ils ouvrent la porte !

Mick part comme une flèche. François se tourne vers les deux autres.

— Il va falloir nous cacher aussi, dit-il. La marée est basse maintenant et nous pouvons nous cacher derrière ces rochers, sur la plage. De toute façon, je ne crois pas que les hommes commencent par chercher Mick et Annie, mais on ne sait jamais... Il vaut mieux être prudents ! Allez ! Dépêchez-vous !

Tous trois s'accroupissent derrière de gros rochers et entendent le canot à moteur entrer dans le petit port. La voix de ses occupants parvient jusqu'à eux.

— Apparemment, les voleurs ne sont pas revenus seuls, murmure Claude. Ils sont trois maintenant.

Pendant ce temps, les hommes ont accosté et escaladent déjà la falaise, en direction du château.

François rampe derrière le rocher qui l'abrite et jette un coup d'œil aux trois silhouettes qui progressent rapidement. Les bandits vont sans aucun doute dégager l'entrée du souterrain qu'ils ont bloquée pour empêcher Annie et Mick de délivrer leurs amis.

À pas de loup, les enfants suivent de loin leurs ennemis. Quand ils arrivent à leur tour au sommet de la falaise, les trois hommes ont déjà disparu par l'escalier de pierre.

— Ils ont fait vite ! murmure François. À nous, maintenant !

Les trois compagnons font de leur mieux pour disposer à nouveau les grosses pierres sur l'entrée du passage. Mais à eux trois, ils sont loin d'avoir autant de forces que les malfaiteurs. Ils ne réussissent pas à déplacer les gros rochers et doivent se contenter d'entasser trois pierres plus petites avec l'espoir que les hommes ne pourront pas les faire bouger d'en bas.

— Pourvu que Mick réussisse à les enfermer dans la cave ! soupire François en se tournant vers les deux filles. Et maintenant, allons guetter près du puits pour attendre Mick.

Ils se rendent donc au puits. Les enfants se penchent par-dessus le rebord et attendent anxieusement. Que fait Mick au même instant ? Aucun bruit ne leur parvient du fond du large trou et ils brûlent de savoir ce qui se passe en bas.

Et il s'en passe, en bas, des choses !... Les trois hommes sont descendus, en s'attendant, bien sûr, à trouver François, Claude et le chien toujours enfermés dans la cave au trésor. Ils passent à côté de la cheminée du puits sans se douter qu'un petit garçon, surexcité, est caché là, prêt à se faufiler dans le couloir derrière eux.

Mick ne perd pas de temps. Dès qu'il entend les hommes s'éloigner, il se glisse à leur poursuite. Ses semelles en caoutchouc ne font aucun bruit sur le sol rocheux. Devant lui, il aperçoit la lumière des torches électriques que les hommes tiennent à la main, et il n'a aucun mal à les suivre de loin.

La petite procession défile le long des couloirs, passant devant une série de sombres

164

cachots... Enfin, les trois hommes débouchent dans un passage plus large que les autres et ne tardent pas à retrouver la fameuse porte.

— C'est ici ! déclare l'un des hommes en braquant sa torche sur le battant. L'or est dans cette cave... avec les prisonniers !

Alors il commence à tirer les verrous en haut et en bas de la porte. Mick se réjouit silencieusement d'avoir été assez rapide pour tout remettre en place avant l'arrivée des malfaiteurs. Sans cela, ils auraient deviné tout de suite que Claude et François s'étaient échappés, et ils se seraient méfiés...

L'homme ouvre la porte et entre dans la cellule. Son compagnon le suit. Mick se rapproche autant que possible, attendant que le troisième bandit pénètre à son tour dans la cave. Celui qui est entré le premier promène la lueur de sa torche sur le sol de la cave. Il laisse échapper un cri de stupeur.

— Les prisonniers ont disparu. Ce n'est pas possible ! Où est-ce qu'ils ont bien pu passer ?

Le troisième homme, resté à l'extérieur de la cave, surpris d'entendre des cris, se décide enfin à entrer à son tour. Vif comme l'éclair, Mick fait un bond en avant et referme la porte. Cela fait un bruit terrible qui résonne le long des couloirs et dans les cachots environnants.

Mick cherche de la main les verrous. Maintenant, il n'y a plus de lumière pour l'éclairer et ses doigts tremblent. Enfin, il trouve un des verrous. Mais celui-ci est rouillé et très dur à pousser. Le jeune garçon a du mal à en venir à bout et, pendant ce temps-là, les hommes s'agitent à l'intérieur !

Dès que la porte s'est refermée sur eux, ils se sont retournés d'un bond. Après un bref instant d'hésitation, un des hommes appuie son épaule contre le lourd battant de bois et se met à pousser de toutes ses forces. Mick vient juste de tirer l'un des verrous. Mais les trois hommes unissent leurs efforts... et le verrou cède !

Mick est pétrifié d'horreur. La porte s'est ouverte ! Pris de panique, il prend ses jambes à son cou et se rue le long du couloir obscur. Les hommes dirigent leurs torches dans sa direction et le fugitif apparaît en pleine lumière. Ils se lancent à sa poursuite.

Mick court droit au puits. Heureusement, l'ouverture qui permet de se glisser à l'intérieur est à l'autre bout du couloir. Profitant de son avance, le jeune garçon a tout juste le temps de se glisser dans le trou, à l'abri de la lumière des torches, avant que les hommes n'arrivent à leur tour. Aucun d'eux ne soupçonne que le jeune fugitif est aussi près !

Tremblant de la tête aux pieds, Mick commence alors à remonter le long de la corde toujours accrochée au barreau. Une fois sur l'échelle, il prend la précaution de dénouer la corde de peur que les hommes ne s'en servent pour monter à leur tour. Sans corde, l'ascension est impossible. Mick grimpe les échelons le plus vite possible et débouche en trombe à l'air libre. Les enfants sont là, à l'attendre.

À la vue du visage de Mick, ils comprennent qu'il n'a pas réussi à piéger les malfaiteurs. Ils l'aident à sortir du puits.

— Je n'ai pas eu de chance ! halète Mick. Je n'ai pas réussi à les enfermer dans la cave. Ou plutôt, j'ai à peine eu le temps de pousser le premier verrou quand ils ont fait sauter la porte et se sont mis à me courir après. J'ai pu leur échapper juste à temps en passant par le puits.

— Et maintenant, ils vont essayer de sortir par l'autre côté ! s'écrie Annie. Vite ! Il faut faire quelque chose. Sinon, ils vont nous attraper, c'est sûr !

— Il faut partir en canot ! s'écrie François. Et, prenant Annie par la main, il se met à courir en l'entraînant avec lui. Dépêchez-vous ! C'est notre seule chance ! À eux trois, ils ne mettront pas longtemps à dégager l'entrée du souterrain.

Les quatre compagnons s'élancent à travers la cour. En passant à côté de la petite salle aux murs de pierre, Claude s'y précipite et en ressort aussitôt, une hache à la main. Dago court devant ses jeunes maîtres, en aboyant à tout rompre. Arrivés sur la plage, les enfants découvrent leur canot, sans ses avirons. Le canot à moteur de leurs ennemis est là, lui aussi. Claude bondit à l'intérieur du zodiaque et pousse un cri de joie.

— Super ! Nos rames sont là ! s'écrie-t-elle. Tiens, François, attrape-les ! Jette-les vite dans le bateau et mets-le à l'eau. Dépêche-toi. Je vous rejoins dans une minute. J'ai quelque chose à faire !

Pendant que François et Mick mettent le canot à flot, ils entendent des craquements et des bruits métalliques qui proviennent du canot à moteur.

— Claude ! Claude ! Dépêche-toi ! hurle tout à coup François. Les hommes sont sortis du souterrain ! Fais vite !

En effet, les trois hommes dévalent déjà le sentier de la falaise. Claude bondit hors du canot à moteur, rejoint les autres en courant et saute dans le canot. Elle prend immédiatement les rames et s'éloigne du rivage aussi vite qu'elle peut.

Les malfaiteurs, de leur côté, courent à leur embarcation, mais doivent s'arrêter net... Le canot est inutilisable. À coups de hache, Claude a démoli tout ce qu'elle a pu : le moteur est en miettes et les avirons de secours, complètement détruits, ne servent plus à rien. Les hommes n'ont évidemment aucun outil pour réparer de tels dégâts et à leur tour ils se retrouvent bloqués sur l'île.

— Sale gamine ! hurle celui des deux hommes qu'on appelle Jean en tendant le poing en direction de Claude. Tu vas voir si je t'attrape !

Claude se retourne vers lui. Une flamme brille au fond de ses yeux.

— C'est plutôt vous qui allez voir ! crie-t-elle en retour. Vous pouvez toujours essayer de quitter l'île maintenant ! Attendez ! On va revenir !

chapitre 17

Victoire finale

Les trois hommes sont plantés sur la grève, et regardent Claude s'éloigner à grands coups d'aviron. Ils ne peuvent rien faire d'autre, puisqu'ils n'ont plus de bateau.

Quand les enfants ont dépassé les rochers qui défendent l'accès au petit port, Claude désigne du menton un bateau de pêche ancré non loin de là.

— Regardez, dit-elle sans cesser de ramer. C'est le bateau que les voleurs ont loué pour emporter le trésor. Il est trop gros pour entrer dans la crique. Pour que les bandits puissent quitter l'île, il faudrait qu'un complice vienne les chercher avec un canot aussi petit que le nôtre.

Les enfants passent assez près de la grosse

171

barque, et un marin, qui semble seul à bord, les appelle :

— Hé ! Vous venez de l'île de Kernach ?

— Ne répondez pas ! ordonne Claude. Ne dites pas un mot.

— Hé ! crie le marin d'une voix coléreuse. Vous êtes sourds ? Je vous ai demandé si vous veniez de l'île.

Les enfants ne répondent toujours pas. Ils regardent dans une autre direction et font semblant de ne pas avoir vu le bateau de pêche. Claude rame toujours vigoureusement.

Le marin renonce à les appeler. Il regarde l'île d'un air perplexe. Il est presque sûr que les enfants viennent de l'île et, comme il se doute bien que les intentions des trois hommes là-bas sont louches, il se demande si cette bande de gosses ne leur a pas joué un mauvais tour. Il ferait peut-être bien d'aller voir ce qui se passe à terre. Après tout, on lui a promis une grosse somme d'argent et il compte bien la toucher.

Claude devine en partie ses pensées.

— Quand il s'apercevra que les autres ne reviennent pas à bord, dit-elle, il risque de mettre son canot à l'eau et d'aller voir lui-même ce qui se passe. Mais, ça m'étonnerait que ces bandits osent emporter l'or maintenant que nous sommes libres et que nous allons raconter toute cette histoire à papa.

— Et puis, suggère Mick plein d'espoir, peut-être que ce marin n'ira au secours des autres que beaucoup plus tard... la police sera peut-être déjà là.

— J'espère ! dit Claude. Je rame aussi vite que je peux.

Bientôt le canot touche terre. Les quatre compagnons sautent sur le sable et tirent le bateau sur la plage. Dago encourage ses maîtres en aboyant.

— Tu vas ramener Dago à Jean-Jacques ? demande Mick à sa cousine.

Claude secoue la tête.

— Non, répond-elle. Nous n'avons pas le temps. Il faut aller raconter ce qui s'est passé sur l'île le plus vite possible. J'attacherai Dago à la barrière du jardin.

Les enfants regagnent la *Villa des Mouettes* en courant. Ils trouvent tante Cécile dehors, en train de jardiner. Elle regarde d'un air étonné les enfants en nage.

— Vous êtes déjà de retour ! s'écrie-t-elle. Je ne vous attendais pas avant demain ! Il s'est passé quelque chose ? Oh... Mick ! Tu es blessé !

— Ce n'est rien, assure Mick.

Les autres se mettent à parler tous à la fois.

— Tante Cécile ! Où est oncle Henri ? Nous avons quelque chose d'important à vous dire.

— Maman, si tu savais ce que nous avons vécu !

— Tante Cécile, tu ne vas jamais croire ce qui nous est arrivé...

Mme Dorsel, de plus en plus stupéfaite, remarque alors les vêtements salis et déchirés de sa fille et de ses neveux.

— Qu'est-ce qu'il s'est passé ? demande-t-elle.

Puis, se tournant vers la maison, elle appelle :

— Henri ! Viens vite ! Les enfants ont quelque chose à nous dire !

M. Dorsel apparaît à la porte, l'air énervé, car on le dérange en plein travail.

— Qu'est-ce qu'il y a ? demande-t-il d'un ton sec.

— Oncle Henri, c'est à propos de l'île de Kernach, explique François fébrilement. Cet homme qui voulait l'acheter, il n'est pas encore propriétaire, si ?

— Presque, l'île est pratiquement vendue, répond son oncle. J'ai signé l'acte ce matin et ce M. Jean je-ne-sais-pas-quoi doit signer demain. Pourquoi est-ce que tu me demandes ça ?

— Cet homme ne signera rien du tout demain. Tu sais pourquoi il voulait acheter l'île et le château ? Pas pour y faire construire un hôtel comme il a essayé de vous le faire croire, mais parce qu'il savait que l'or était caché là-bas.

— Mais qu'est-ce que tu racontes ? s'écrie M. Dorsel.

— C'est vrai, papa ! proteste Claude avec indignation. Il y avait un plan du vieux château dans le coffret que tu as vendu à ce soi-disant antiquaire... et il indiquait l'endroit où mon arrière-arrière-grand-père avait enfoui les lingots d'or.

Le père de Claude prend d'abord un air surpris, puis préoccupé. En fait, il ne croit pas un mot de ce que disent les enfants. Tante Cécile, en revanche, comprend à leurs visages tendus qu'il s'est passé quelque chose de grave.

Et soudain, Annie éclate en sanglots. Elle a subi trop d'émotions et elle ne supporte pas l'idée que son oncle puisse douter de leur histoire.

— Tante Cécile ! C'est la vérité ! hoquette-t-elle. Il faut nous croire Oh ! Tante Cécile, l'homme avait un pistolet... et il a enfermé

Claude et François dans les oubliettes... et Mick a été obligé de descendre dans le puits pour les délivrer. Et après, Claude a démoli le moteur de leur canot à coups de hache pour les empêcher de nous poursuivre !

M. et Mme Dorsel ont beaucoup de mal à suivre le fil de l'histoire à travers le discours plutôt incohérent d'Annie, mais l'oncle Henri semble enfin comprendre qu'il s'est passé quelque chose d'important sur l'île et qu'il faut y prêter attention.

— Claude a abîmé un canot à moteur ! s'exclame-t-il. Mais c'est ridicule ! Allez, suivez-moi dans mon bureau. Vous allez me raconter toute cette histoire calmement, et en détail.

Tout le monde rentre à la villa. Annie s'installe sur les genoux de sa tante et écoute Claude et François raconter leurs aventures. Ils n'oublient aucun détail. En apprenant ce qui leur est arrivé, tante Cécile devient très pâle, surtout quand François décrit l'exploit de Mick au fond du puits.

— Oh ! Mick ! s'écrie-t-elle. Tu aurais pu te tuer !

M. Dorsel, quant à lui, écoute sans rien dire. Il arrive à peine à en croire ses oreilles et il est impressionné par la témérité des quatre enfants.

— Vous avez fait preuve de beaucoup d'habileté, dit-il enfin, et aussi de courage. Je suis fier de vous. Maintenant, je comprends pourquoi tu insistais tant pour que je ne vende pas l'île, Claude ! Tu savais que les lingots d'or étaient cachés là-bas. Mais pourquoi est-ce que tu ne me l'as pas dit ?

Les quatre enfants le regardent sans répondre. Ils n'osent pas lui avouer qu'ils ont eu peur que leur oncle ne les croie pas, et aussi qu'ils ont toujours été un peu effrayés par lui.

— Eh bien, répondez ! insiste M. Dorsel.

C'est sa femme qui s'en charge.

— Henri, dit-elle d'une voix douce, je pense que tu intimides un peu les enfants. C'est pour ça qu'ils n'ont rien osé te dire. Mais maintenant que nous savons tout, il va falloir prendre les choses en main. Il faut appeler la police. Il n'y a pas de temps à perdre !

— Tu as raison ! dit l'oncle Henri en se levant d'un bond.

Il prend François par l'épaule.

— Tu as bien travaillé..., dit-il.

Puis il ébouriffe les cheveux courts et bouclés de Claude.

— Et je suis fier de toi, Claude ! ajoute-t-il.

— Oh ! papa ! s'exclame Claude en rougissant de joie.

Elle sourit à son père qui lui sourit à son tour. L'oncle Henri et Claude se ressemblent décidément beaucoup. Eux qui ont l'air tellement désagréables quand ils arborent leur mine renfrognée, ils sont méconnaissables quand ils se dérident.

Sans plus s'attarder, M. Dorsel va téléphoner à la police, puis à son avocat. Pendant ce temps, tante Cécile sert un petit en-cas aux enfants. Tout en dévorant des biscuits et des prunes, ceux-ci racontent à leur tante tous les petits détails de leur aventure. Et soudain, alors qu'ils sont encore à table, un terrible aboiement leur parvient du fond du jardin. Claude se lève d'un bond.

— C'est Dago, explique-t-elle à sa mère avec une lueur inquiète dans les yeux. Je n'ai pas eu le temps de le ramener à Jean-Jacques. C'est lui qui le garde pour moi d'habitude. Maman, si tu savais comme Dago nous a été utile sur l'île ! Il ne faut pas le gronder... Je crois qu'il a faim.

— Eh bien, va le chercher ! dit Mme Dorsel, de manière tout à fait inattendue. Ce chien est un héros lui aussi... il a droit à un bon dîner.

Claude sourit, enchantée. Elle sort en courant et va chercher Dago. Le chien entre en bondissant et en agitant sa longue queue. Il donne un grand coup de langue sur la main de tante Cécile et pointe les oreilles en la regardant.

— Bon chien ! dit la mère de Claude en le caressant. Attends, je vais te préparer quelque chose de bon !

Dago comprend et la suit à la cuisine. François sourit à Claude.

— Eh bien, murmure-t-il, tu vois ? Ta mère est vraiment géniale !

— Oui... mais je ne sais pas ce que papa va dire en voyant Dago.

M. Dorsel revient l'instant d'après, le visage grave.

— La police s'intéresse beaucoup à cette histoire, déclare-t-il, et mon avocat aussi. Tout le monde est d'accord pour dire que vous avez été très courageux. Et puis, Claude... mon avocat affirme que ces lingots d'or nous appartiennent et qu'il n'y a pas de contestation possible... Il y en a vraiment beaucoup ?

— Des centaines, papa ! s'écrie Claude. Il y en a un tas énorme au fond du cachot où nous étions enfermés. Alors, nous allons être riches maintenant ?

— Oui, répond son père. Assez riches pour pouvoir acheter toutes les choses dont nous rêvions depuis tant d'années sans pouvoir nous

179

les offrir ! J'ai travaillé d'arrache-pied pour vous deux... mais on ne fait pas fortune dans la recherche et ça me rend parfois irritable. Mais maintenant, vous aurez tout ce que vous voulez !

— J'ai déjà tout ce que je veux ! répond Claude. Sauf une chose, qui me tient vraiment à cœur... Et celle-là ne te coûtera pas un sou !

— C'est d'accord ! dit M. Dorsel en passant son bras autour des épaules de Claude. Dis-moi ce que c'est et même si cela coûte très cher, je te promets que tu l'auras !

À cet instant précis, on entend le bruit de grosses pattes le long du couloir qui conduit à la salle à manger, où les enfants et M. Dorsel sont réunis. Une tête aux poils hirsutes passe par l'entrebâillement de la porte et une paire d'yeux vifs dévisage les occupants de la pièce. C'est Dago ! L'oncle Henri le regarde, stupéfait.

— Mais... C'est Dago, non ?... Salut, Dago !

— Papa ! La seule chose que je veux, c'est Dago, explique Claude en pressant le bras de son père. Il nous a tellement aidés quand nous étions sur l'île ! Il voulait sauter à la gorge des bandits pour nous défendre. Je ne veux rien d'autre, papa... Nous pourrions le mettre dans une jolie niche, au fond du jardin, et je ne le laisserai pas te déranger, je te le promets !

— Eh bien, garde Dago, si tu veux ! déclare l'oncle Henri.

À ce moment-là, comme s'il avait compris ce que M. Dorsel vient de dire, Dago entre carrément dans la pièce, agitant la queue avec frénésie. Il va droit au père de Claude et lui lèche la main. Il faut dire que l'oncle Henri a changé. Il a l'air libéré d'un grand poids maintenant que sa famille est riche. Claude va pouvoir aller dans une bonne école, tante Cécile aura les moyens d'acheter tout ce qu'elle veut, et l'oncle Henri pourra continuer à faire le travail qu'il aime, sans se préoccuper des fins de mois difficiles. Il rayonne de joie et n'a plus rien à voir avec le scientifique froid que les enfants connaissaient.

Claude, elle aussi, est radieuse. Dago va rester avec elle ! Dans sa joie, elle se jette au cou de son père et l'embrasse affectueusement, ce qu'elle n'a pas fait depuis longtemps. M. Dorsel paraît à la fois surpris et ravi.

— Bon, dit-il. Tout le monde est content, apparemment...

Il s'interrompt soudain au bruit d'une voiture qui s'arrête devant la porte.

— C'est probablement la police, se hasarde-t-il.

Les policiers entrent et échangent quelques mots avec M. Dorsel. Puis l'un d'eux reste sur place pour prendre la déposition des enfants, pendant que les autres se dépêchent de partir en bateau pour l'île de Kernach...

Ils y arrivent juste à temps ! Le patron du bateau de pêche s'est finalement décidé à aller voir pourquoi ses passagers tardaient tant à revenir. Comme il était seul à bord, il lui a fallu longtemps pour mettre le canot à l'eau. Les gendarmes surviennent au moment précis où il embarque les trois malfaiteurs à bord. L'arrestation se fait sans difficulté. En plus du témoignage des enfants, il y a une autre preuve contre eux : ils ont voulu prendre quelques lingots avant de s'enfuir et c'est ce retard qui a causé leur perte.

Les gendarmes vont jeter un coup d'œil au canot à moteur.

— Eh bien, dit l'un d'eux en souriant, la petite Dorsel n'a pas froid aux yeux. Elle a fait du bon travail ! C'est grâce à elle si les voleurs sont restés bloqués sur l'île. Nous allons remorquer ce bateau jusqu'au port...

Avant de quitter l'île, les policiers descendent dans les souterrains pour poser les scellés sur la porte de la cave aux lingots. Ainsi, personne ne pourra entrer dans la pièce et l'or restera à l'abri jusqu'à ce que M. Dorsel vienne le chercher. En attendant, les parents de Claude pourront examiner de près un échantillon de leur fortune : les policiers leur rapportent les lingots qu'ils ont trouvés dans les affaires des voleurs...

En apprenant que les trois malfaiteurs ont été capturés, les enfants ne peuvent cacher leur joie : le trésor est sauvé et les coupables vont être punis ! Mais quel dommage que les gendarmes n'aient pas rapporté avec eux tous les lingots.

Après toutes ces émotions, Claude et ses cousins sont épuisés. Aussi, ce soir-là, ils ne protestent pas lorsque tante Cécile décide qu'ils devront se coucher tôt.

— Je vais vous faire dîner avant oncle Henri et moi, déclare-t-elle, et après, vous monterez tout droit au lit. Vous vous sentirez beaucoup mieux après une bonne nuit de sommeil.

Les enfants se réunissent donc dans la salle à manger. Dago reste avec eux, prêt à ramasser les miettes qu'on voudra bien lui laisser.

— Eh bien, dit soudain François en réprimant un bâillement, on peut dire que nous avons vécu une aventure incroyable. Je suis presque triste qu'elle soit déjà finie... Et pourtant, nous avons eu drôlement peur, n'est-ce pas, Claude ?

Claude grignote des biscuits d'un air ravi. Elle sourit à François.

— Dire qu'au début j'étais furieuse que vous veniez passer vos vacances ici ! s'écrie-t-elle. J'avais l'intention de ne pas vous parler. Je voulais que vous rentriez chez vous ! Et maintenant je suis triste parce que vous allez partir à la fin de l'été ! Vous allez tellement me manquer ! Après avoir vécu plein d'aventures avec trois amis, je vais me retrouver toute seule. J'aimais bien être toute seule avant, mais maintenant...

Tante Cécile apparaît sur le seuil de la salle à manger.

— Allez, les enfants, c'est l'heure d'aller vous coucher. Regardez Mick, le pauvre ! Il tombe de sommeil ! Je suis sûre que vous allez tous faire de très beaux rêves après toutes les aventures que vous venez de vivre.

Elle accompagne les filles dans leur chambre.

— Regarde, Claude, j'ai comme l'impression que Dago est sous ton lit...

— Tiens, c'est vrai ! répond Claude en faisant semblant d'être surprise. Hé, Dag, on peut savoir ce que tu fais là ?

Dago rampe hors de sa cachette et va droit

à tante Cécile. Alors, se couchant à ses pieds, il lève vers elle un regard implorant. Mme Dorsel se met à rire.

— Tu veux coucher dans la chambre des filles cette nuit, je parie ? dit-elle. Allez, accordé... pour cette fois !

— Maman ! crie Claude, folle de joie. Oh ! merci ! Comment est-ce que tu as deviné que je mourais d'envie que Dago reste avec moi ce soir ? Dago, tu peux coucher sur le tapis, à côté de moi !

Ce soir-là, les quatre enfants se couchent très heureux. Leur passionnante aventure se termine bien. Et les vacances sont loin d'être finies ! L'oncle Henri, tout souriant, ne leur fait plus du tout peur ! L'île et le château de Kernach appartiennent toujours à Claude ! Bref, tout va pour le mieux !

— Si tu savais comme je suis contente que l'île ne soit pas vendue ! soupire Annie sur le point de s'endormir. Je suis heureuse qu'elle soit toujours à toi.

— Elle appartient aussi à trois autres personnes, répond Claude. Parce que maintenant, elle est non seulement à moi mais aussi à toi, à François et à Mick. C'est tellement mieux de partager ce qu'on a. Dès demain, je vous donnerai un quart de mon île à chacun.

— Oh ! Claude... c'est magnifique ! murmure Annie, enchantée. Les garçons vont être si contents ! Et moi, je...

La petite fille n'a pas le temps d'achever sa phrase : elle vient de s'endormir. Claude ne tarde pas à suivre son exemple... Dans leur chambre, les garçons dorment aussi, rêvant aux lingots, aux oubliettes, et à quantité d'autres choses passionnantes.

Seul Dago est encore éveillé. Oreilles dressées, il écoute la respiration de Claude et d'Annie. Dès qu'il comprend qu'elles sont profondément endormies, il quitte le tapis et s'approche avec mille précautions du lit de Claude... Posant les pattes de devant sur le rebord du lit, il flaire la fillette endormie. Puis, d'un bond, il saute sur les couvertures et se couche en rond contre ses jambes. Alors, avec un soupir de bonheur, il ferme les yeux. Les enfants sont sans doute très contents... mais Dago est plus heureux encore !

— Oh ! Dag ! soupire Claude, qui s'est à moitié réveillée en sentant le chien auprès d'elle. Tu es si gentil ! Tu sais quoi, Dago, nous allons vivre encore plein d'aventures palpitantes tous les cinq... tu verras.

Oui, le Club des Cinq connaîtra bien d'autres aventures palpitantes. Mais, ça, c'est une autre histoire !

Table